DU MÊME AUTEUR

ESSAIS

Les voies de l'écriture, Mercure de France, 1969.
Lecture d'Albert Cohen, Actes Sud, 1981. Nouv. éd. 1988.
L'éditeur et son double, Actes Sud, vol. I : 1988, II : 1990, III : 1997.
Du texte au livre, les avatars du sens, Nathan, 1993.
Eloge de la lecture, suivi de *Lecture d'Albert Cohen*, Les Grandes Conférences, Fides, 1997.
Un Alechinsky peut en cacher un autre, Actes Sud, 2002.
Variations sur les Variations, Actes Sud, 2002.
Sur les quatre claviers de mon petit orgue : lire, écrire, découvrir, éditer, Leméac / Actes Sud, "L'écritoire", 2002.
Entretien avec Hubert Nyssen par Jacques De Decker, Editions du Cygne, 2005.

ROMANS

Le nom de l'arbre, Grasset, 1973. Passé-Présent n° 53, Babel n° 435.
La mer traversée, Grasset, 1979. Prix Méridien.
Des arbres dans la tête, Grasset, 1982. Grand prix du Roman de la Société des gens de lettres.
Eléonore à Dresde, Actes Sud, 1983. Prix Valery-Larbaud, prix Franz-Hellens. Babel n° 14.
Les rois borgnes, Grasset, 1985. Prix de l'Académie française. J'ai lu n° 2770.
Les ruines de Rome, Grasset, 1989. Babel n° 134.
Les belles infidèles, Actes Sud, "Polar Sud", 1991. Corps 16, 1997.
La femme du botaniste, Actes Sud, 1992. Babel n° 317.
L'Italienne au rucher, Gallimard, 1995. Grand prix de l'Académie française. Babel n° 664, sous le titre : *La leçon d'apiculture*.
Le bonheur de l'imposture, Actes Sud, "Un endroit où aller", 1998. Grand caractère, 1999, Babel n° 585.
Quand tu seras à Proust, la guerre sera finie, Actes Sud, "Un endroit où aller", 2000.
Zeg ou les Infortunes de la fiction (sotie), Actes Sud, "Un endroit où aller", 2002.
Pavanes et javas sur la tombe d'un professeur, Actes Sud, "Un endroit où aller", 2004.

POÈMES

Préhistoire des estuaires, André De Rache, 1967.
Mnémonique, I à IV, éditions Irène Dossche, 1969 à 1972.
La mémoire sous les mots, préface de Max-Pol Fouchet, Grasset, 1973.
Stèles pour soixante-treize petites mères, Saint-Germain-des-Prés, 1977.
De l'altérité des cimes en temps de crise, L'Aire, 1982.
Anthologie personnelle, Actes Sud, 1991.
Eros in trutina, Leméac / Actes Sud, 2004.

LIRA BIEN
QUI LIRA LE DERNIER

HUBERT NYSSEN

LIRA BIEN
QUI LIRA
LE DERNIER

LETTRE LIBERTINE
SUR LA LECTURE

BABEL

A Pascal Durand et Alberto Manguel.
Et pour Mlle Esperluette,
une lectrice qui se reconnaîtra.

*Je suis convaincu que nous continuerons
à lire aussi longtemps que nous persisterons à nommer le monde qui nous
entoure.*

ALBERTO MANGUEL,
La bibliothèque de Robinson.

AVANT-PROPOS

Austère et savante, l'étymologie ? Et pourquoi ne laisse-rait-elle pas notre pensée aller d'un mot à un autre par les chemins buissonniers d'une science rêveuse ? Cette science nous enseignerait, par exemple, que "livre" et "liberté" procèdent du même mot, liber, *et, en toute rigueur cette fois, que celui-ci désignait, à l'origine, la mince pellicule pulpeuse située entre le bois et l'écorce dont l'homme a fait un support d'écriture avant l'invention du papyrus. De l'arbre au livre, de l'aubier au papier, du livre à la liberté de penser, de l'écriture à la lecture, les affinités sont telles qu'il n'y a rien d'étonnant que je me sois tourné vers Hubert Nyssen lorsque, directeur de la collection "Liberté j'écris ton nom" aux éditions Labor et Espace de Libertés, j'ai souhaité inscrire au catalogue une réflexion sur l'avenir du livre et de la lecture. Voici donc, à présent en Babel, la "Lettre libertine", adressée à Mlle Esperluette, par laquelle il avait répondu à ma sollicitation, en ajoutant du même coup un maillon de plus à la chaîne symbolique allant de l'arbre primordial à la jubilation de l'esprit et des sens.*

PASCAL DURAND

MORCEAUX EN FORME DE POIRE

A une question qu'on ne lui posait pas, Claude Roy répondit un jour qu'il écrivait pour lire ce qu'il ne savait pas qu'il allait écrire[1]. Voilà qui m'a servi de sauf-conduit, mademoiselle Esperluette, pour commencer cette lettre aux premiers jours de l'hiver. Car, l'œil inquiet, vous m'aviez demandé à quel triste destin paraissaient promis, dans les turbulences de notre époque, l'attrait du livre et le plaisir de la lecture que nous sommes encore quelques-uns à partager. Vous aviez l'air de me demander s'il fallait sortir les voiles du deuil et vous préparer aux larmes de l'inconsolable. Eh bien, en attendant les beaux jours, me suis-je dit, je lui écrirai là-dessus pour découvrir ce que je ne savais pas que j'allais lui dire.

Et si j'ai choisi de vous écrire, à vous en particulier, dont j'ai dissimulé l'identité sous un pseudonyme emprunté à la typographie, c'est parce que, comme le dit Pascal Lainé (il n'est ni le premier ni le seul mais il le dit avec la force de la simplicité), aujourd'hui "les femmes sont les véritables lectrices[2]". J'y reviendrai.

Mais où avez-vous pris l'idée que je serais doué pour cette sorte de prophétie ? Parce que je n'ai d'autre pratique que l'écriture et parce que, longtemps, j'ai exercé le métier d'éditeur, vous me jugez donc capable de désigner les choses à venir en ce domaine ? J'avais l'impression de vous entendre insinuer, avec l'impertinence de Laclos, que mes prophéties vaudraient mieux que mes conseils[3]. Alors, soyons net. Je vous le dis sans détour, je ne suis ni lointain disciple de Nostradamus ni adepte de Mme Elisabeth Tessier. Non, je préfère interroger les ancêtres plutôt que de consulter les auspices. Trop souvent, voyez-vous, j'ai entendu des boniments d'experts et des rodomontades de prospectivistes, observé la déconfiture de prévisionnistes et la déroute de conjoncturistes, constaté la faillite d'anticipateurs, et je me suis rendu compte que dans l'ordre des probabilités toujours règne l'incontournable dilemme du possible que le père Hugo a théâtralisé en huit mots dans *Les châtiments* : "Soudain, joyeux, il dit : Grouchy ! – C'était Blücher !"

Si l'on cherche à comprendre ce qui se prépare sous nos yeux, je l'ai appris, et parfois ce fut à mes dépens, rien n'est plus instructif qu'un regard porté aux pronostics anciens. Dans le domaine qui est ici le nôtre, quelles leçons nous viennent, en effet, quand nous consultons les anthologies et les listes de ces chefs-d'œuvre qui allaient franchir le siècle

14

et n'ont pas dépassé l'année ! Ou encore quand nous observons les contorsions de ceux qui, après avoir applaudi aux semailles du nouveau roman, ont assisté, penauds, au retour du social-balzacien, à la remise du prix Goncourt à Marguerite Duras et à l'entrée d'Alain Robbe-Grillet à l'Académie française. Décidément, oui, mademoiselle Esperluette, je préfère l'éloquence des évidences aux clameurs des interprétations.

Et puis, je vous l'avoue, aux heures d'égoïsme, je me fiche de savoir si dans cinquante ans il sera encore question d'un livre qui vient de m'apporter illuminations et jouissance. C'est l'affaire de mes petits-neveux. La mienne est de ne pas négliger la félicité de l'instant, de ne pas mépriser la compagnie qui m'est offerte et de ne pas gâcher le plaisir qu'elle me donne. D'ailleurs, à qui m'en fait reproche j'ai beau jeu de dire que, parmi ces plaisirs, il n'est pas le moindre celui que j'ai eu, dans ma carrière d'éditeur, de redécouvrir un poète qui avait disparu de la mémoire collective, un écrivain oublié dans les brouillards de son pays natal, un romancier que le dédain avait accompagné jusqu'à la tombe ou un dramaturge enlisé dans l'indifférence. Ces parousies m'importent plus que les immortalités incertaines.

D'ailleurs, quel est cet anxieux besoin de connaître l'avenir ? Passe encore pour ceux qui n'en ont plus guère, c'est pour eux une manière de croire que, par quelques rhizomes, par certains fluides ou par certaines traces, ils y seront présents. Mais vous, pourquoi renonceriez-vous à l'émotion de l'inattendu, à la surprise de la découverte ? Vous avez encore accès aux livres, profitez-en ! La lecture est une passion, et que vaudrait une passion sans mystères ? Lira bien qui lira le dernier.

Pour ma part, au point où j'en suis, et avec une égale indifférence à l'optimisme jobard des uns, au catastrophisme caractériel des autres et au pessimisme hautain de quelques-uns, je préfère tenir compagnie à Jean Duvignaud, un octo qui, à l'automne de sa vie, dans des petits ouvrages d'une même pensée[4], nous invite à demeurer "béants aux choses futures" ainsi que le recommande Montaigne, ouverts à l'utopie et attentifs à des signes par lesquels, si nous savions les interpréter, nous comprendrions peut-être sur quoi le proche avenir se fonde ou se dispose.

Béance, ouverture, attention, voilà qui revient à vous dire que mes réflexions, sur un plaisir dont vous craignez qu'il ne soit en voie de disparition, seront simples tentatives pour déployer les signes du visible avec l'espoir de débusquer quelques signes de l'invisible. Ce que vous trouverez ici, ce sont donc, au sens propre, ce que Victor Hugo appelait des *Choses vues*. Vues ou entrevues. Ou encore, dans la langue d'Erik Satie – et c'est sans doute plus juste – des *Morceaux en forme de poire*.

16

AH, LA CRISE !

Il existe, chez les gens de notre espèce, mademoiselle Esperluette, une singulière disposition à s'interroger, avec toutes les apparences d'une objective
gravité, sur la crise dans laquelle sont plongées certaines choses que nous désignons de haut pour dissimuler que c'est en vérité de notre crise, et même
parfois d'une crise intime, qu'il s'agit. Dans l'exercice de ce métier d'éditeur qui longtemps fut le mien,
rien ne m'en a mieux persuadé que l'assiduité avec
laquelle, tous à l'unisson, auteurs, traducteurs, lecteurs, libraires, critiques, curieux et confrères, nous
évoquions la crise du livre et de la lecture. J'ai souvenir d'un Jérôme Lindon, le regretté patron des
Editions de Minuit, qui chaque année, à l'ouverture
du Salon du livre de Paris, passait me voir pour me
recommander d'en bien profiter car, disait-il, au
train où allaient les choses, il y avait fort à parier
que ce salon serait le dernier...

Il ne faut pas gratter longtemps le vernis de cette
inquiétude pour comprendre que, dans une exclamation aussi candide que "Mais, dans cette crise,
où va le livre ?", il faut entendre : "Mais où donc
va le monde, où allons-nous, où vais-je ?" Je suis
loin de croire que, prise sous cet angle, la condition
du livre soit vraiment représentative de la condition du monde et de la peur mêlée d'incomplétude
dans laquelle l'ignorance de son devenir nous met.
Pourtant, je vous l'avoue, j'éprouve un certain plaisir

à considérer l'autorité que conserve le livre quand je vois qu'il fournit un prétexte aussi distingué à des angoisses confuses, et suggère une manière noble de manifester des paniques personnelles devant les dérèglements de la société. Ne serait-ce que là, dans l'ordre du symbolique, il aurait encore un certain avenir, le livre !

OUI, MAIS QUELLE CRISE ?

La crise… Voilà bien l'un de ces "mots perroquets" comme disait Valéry, l'un de ceux que l'on assène sans rien expliquer, ou encore mot-valise dans lequel on entasse n'importe quoi avant de prendre la fuite devant la complexité des choses. Dans le bric-à-brac de la crise, on fourre pêle-mêle l'incertitude, le mal et le malaise, la fièvre, l'enthousiasme, l'émotivité, la déraison, la jalousie, le mépris. Et, pour peu que l'on s'imagine au théâtre, l'un de ces moments délicats où, comme on dit, "la crise se noue".

Vous l'aviez deviné, mademoiselle Esperluette, je la trouve assez fascinante, la crise ! C'est pourquoi, quand on me dit le livre en crise, je demande ce que serait le livre sans crise. De la nuit de son histoire jusqu'à nos jours, n'est-il pas toujours en crise ? Dans ses substances comme dans ses formes, dans les sujets et les styles, dans ses initiatives

et ses audaces, dans ses déboires et ses bannisse-
ments. Le livre n'a-t-il pas connu de grandes renais-
sances où l'on avait cru le perdre ? N'est-il pas un
phénix renaissant de ses cendres après les autodafés
qui marquent son histoire, de la destruction de la
bibliothèque de Thèbes par Akhenaton en 1358
av. J.-C. à celle de la Byzantine de Constantinople
par les croisés en 1204, de la disparition des livres
aztèques au Mexique en 1529 à l'incendie de la
bibliothèque du Congrès de Washington par les Anglais en 1814, des autodafés nazis dans les années
trente à la destruction des bibliothèques irakiennes
en 2003 ?

Tenez, en juillet 1974, à Westport, dans le Con-
nemara, je fis la connaissance d'Eric Cross, un vieil
Irlandais malicieux qui m'entraînait le soir dans les
pubs enfumés pour me faire connaître la source à
laquelle, disait-il, James Joyce avait puisé ses sujets
et ses formes langagières. Après quoi, dans un salon
du *Health Center* où il vivait comme un réfugié, il
me lisait de sa belle voix rauque des pages choisies
dans l'intraduisible *Finnegan's Wake* avec l'air
d'en dire le pire et d'en penser le meilleur. Et puis,
un jour, j'appris que cet Eric Cross, chimiste à la
retraite, était aussi un écrivain dont un livre, le premier qu'il eût écrit – *The Tailor and Ansty*[5] –, avait
été brûlé en place publique. Sachez pourtant, ma
chère, que l'on ne pouvait imaginer livre plus innocent que celui-là où Cross, rapportant les souvenirs
que lui avaient confiés un tailleur à la retraite et Anas-
thasie (Ansty) son épouse, relatait les conversations

advenues pendant les veillées qu'il passait avec eux. Mais en ce temps-là l'Eglise catholique jugea que, sous ses allures de fable rustique, *The Tailor and Ansty* sentait l'hérésie, et elle soupçonna Cross d'avoir été financé par des protestants américains. Elle obtint d'Eamon De Valera[6] que l'ouvrage fût mis à l'index et elle organisa un autodafé symbolique : trois prêtres, me raconta Cross, avaient obligé le tailleur et son Ansty à s'agenouiller dans la rue devant un petit bûcher et les avaient forcés à jeter au feu des exemplaires du livre qu'ils avaient inspiré à Cross. Cela s'était passé en 1942. Quand j'ai rencontré Cross nous étions, je vous le rappelle, en 1974, la mise à l'index était oubliée, le livre avait été réédité, on trouvait *The Tailor and Ansty* partout, même dans les épiceries de village. Et je vis, en ouvrant un exemplaire de la nouvelle édition, qu'elle était imprimée par les Presses Saint-Augustin à Bruges. On a raison de dire que l'argent n'a pas d'odeur.

J'en suis donc au point de penser que, sans crises, le livre aurait eu un destin à la Bouvard et Pécuchet, idées reçues et tristes bonaces. Alors, dans la crise où l'on dit que le livre se trouve aujourd'hui, faut-il redouter sa disparition définitive ou attendre son regain ? "L'emphase prophétique[7]" de ceux qui s'inquiètent de sa destinée et nous donnent à contempler une nouvelle querelle des Anciens et des Modernes – aujourd'hui celle qui oppose de grincheux misonéistes à des innovateurs illuminés, des pessimistes désabusés à des optimistes béats – m'a souvent donné l'impression que l'on prenait une chose pour une autre, le livre pour la lecture et que, de cette confusion, on fait sa cuisine.

Voilà pourquoi, en vieil organiste qui a passé des années à jouer sur les quatre claviers de son instrument – lire, écrire, découvrir, éditer[8] –, je veux ici rappeler une évidence. A savoir que si le livre et la lecture depuis longtemps vont de conserve, ils ne sont pas dans le même bateau. On a lu avant le livre, et sans doute lira-t-on après lui. Le livre n'est jamais que le support actuel de la chose écrite, il n'est rien d'autre que l'outil utilisé dans un moment de l'histoire dont nous sommes encore les acteurs. Aussi, quand vous vous interrogez sur le destin du livre *et* de la lecture vous faut-il voir, mademoiselle Esperluette, qu'il y a deux interrogations sous l'apparence d'une seule. Une chose est de se demander où va le livre, une autre où va la lecture.

Chacune en son temps, commençons donc par le livre, le livre considéré comme la chrysalide de papier d'où notre lecture fait surgir le texte, sa petite musique, ses prodiges, ses fleurs vivaces ou vénéneuses, ou encore ses déconvenues.

EN SOUVENIR DE VARSOVIENNES

A Varsovie, un certain jour de décembre dans les années quatre-vingt-dix, j'avais à faire une causerie à l'Institut français sur l'état de la littérature et de l'édition en France. Quand j'arrivai sur les lieux, le directeur m'accueillit en me disant qu'il avait deux nouvelles à me donner, une bonne et une mauvaise. La bonne d'abord, dis-je. Eh bien, m'annonça-t-il, la salle étant pleine, j'allais jouer à bureaux fermés. Et mieux encore, les femmes étaient en nombre et occupaient les premiers rangs. Et la mauvaise ? Le chauffage avait rendu l'âme, il faisait dedans le même froid que dehors, j'avais intérêt à garder ma parka sur le dos, et même, si je le voulais (mais je ne le voulus pas), à m'en mettre la capuche sur la tête. Quelques instants plus tard, je me suis trouvé au perchoir devant une assemblée que, sans être averti, j'aurais pu prendre pour une convention de trappeurs en voyant ces alignements de fourrures, de toisons, de pelisses et, aux premiers rangs, des bonnets couvrant jusqu'aux sourcils de ravissants visages enchatonnés dans de hautes collerettes. De surcroît j'entendais un discret battement de semelles, et c'était, je le compris, non pour marquer l'impatience, mais pour réchauffer les pieds.

Une inspiration me vint alors sans que j'eusse pris le temps de la considérer. "Je m'en vais vous montrer, dis-je, que le livre peut être un objet érotique", ajoutant à part moi : capable donc d'élever la température. Et, joignant le geste à la parole, tenant à la main un roman récemment paru, je rappelai qu'il nous est habituel de flairer un livre pour en percevoir la discrète odeur de papier, d'encre et de colle, de le presser sur la joue ou de le porter à nos lèvres pour le remercier des émotions qu'il nous a données, de le mettre sous le bras, le fourrer dans la poche, le cacher sous la jupe, de le serrer entre les genoux, voire de le glisser sous les fesses en attendant de l'y reprendre, ou encore de l'emporter au lit et là, de l'ouvrir, le fourrager, le caresser, le peloter, de temps à autre y glisser un doigt et sentir, en tournant la page, le doux grain du papier. Quand je vis s'illuminer les yeux des auditrices du premier rang et la roseur leur monter aux joues, je compris que la recette était bonne. Je pus alors aborder le sujet pour lequel on m'avait fait venir.

Et maintenant, avec le souvenir très présent de cette aventure, je vous confie la véritable inquiétude qui est mienne, mademoiselle Esperluette. Quelles que soient les métamorphoses que la technologie imposera dans l'avenir à l'objet livre, je n'imagine pas sans désespoir que le prix à payer serait l'extinction des jouissances que je rappelais aux Varsoviennes et la disparition d'une sensualité dont les vrais lecteurs, comme vous et moi, font depuis si longtemps leur ordinaire. C'est pourquoi, aux prouesses techniques et à leurs abus parfois ravageurs, il n'est de plus instante résistance à opposer que celle inspirée par la crainte légitime de voir, sous certaines de leurs extravagances, s'éteindre le désir.

Depuis qu'il est livre et surtout depuis qu'au fil des âges il a pris des proportions permettant de le fréquenter sans embarras, de l'emporter avec soi, d'en faire un objet familier, le livre est devenu un compagnon, parfois même un confident. Il me souvient d'un écrivain, américain je crois, auquel un visiteur, promenant les yeux sur les livres qui tapissaient les murs de son cabinet, demanda s'il les avait tous lus. "Non, mais je vis avec", fut la brève réponse. Vivre avec… Qui ne comprend le sens de cette réplique ignore un grand mystère et un singulier plaisir.

Vous savez sans doute que le temps n'est pas si lointain où il fallait couper les pages des livres avant de les lire, usage disparu avec la production en grandes séries et le recours à la guillotine électronique du massicot, instrument auquel même les héritiers de José Corti, qui pour sa part s'en était toujours défendu, viennent de se mettre, en 2004, avec une collection impertinemment appelée "Les massicotés". Eh bien, je me rappelle qu'à Bucarest, il y a quelques années, au cours d'un colloque consacré à Paul Valéry et son œuvre, sa fille me confia qu'à la mort de l'écrivain, lors de l'inventaire, on avait pu reconnaître, en voyant celles qui avaient été coupées, le nombre des pages qu'il avait lues dans chacun des ouvrages de sa bibliothèque. La même chose dut advenir avec la bibliothèque de Selma Lagerlöf si j'en juge par le chapitre de

L'oratorio de Noël[9] où Göran Tunström met en scène une Selma, vers la fin de sa vie, s'adressant en ces termes au jeune Sidner : "Ce que je veux, Sidner, c'est que tu coupes ces livres. Ceux que je n'ai pas lus donc. Pour que ça fasse *comme si*." Selma, à l'instar de Paul, aimait la compagnie des livres, même de ceux qu'elle n'avait pas lus. Vous l'aurez compris, mademoiselle Esperluette, pour les gens de cette espèce, si la lecture des livres est une chose, leur présence en est une autre, et il serait consternant de le dissimuler.

Quand je devins éditeur, ce fut, après le choix des textes à publier, ma première préoccupation : faire en sorte que les livres que je proposerais fussent pour leurs lecteurs des objets d'agréable compagnie. Je voulais qu'ils se présentent comme des alliés, des complices, et non des adversaires que tant deviennent par leur poids excessif, leurs dimensions incommodes, la disgrâce de l'allure générale ou d'autres infirmités comme la petitesse ou l'inutile fantaisie de leurs caractères. Ainsi est né un format particulier dont la largeur permet de tenir sans peine l'objet-livre là où d'instinct on le prend dans la main : entre le pouce et les doigts opposés. Le confort n'est-il pas complice de la fidélité ? Le même souci fut pris en compte pour les pages sur lesquelles le texte était disposé, en caractères agréables par leur taille, dans des miroirs calculés de manière que le regard pût sans peine courir – gauche-droite, gauche-droite –, telle la navette sur le métier à tisser. Ce type de livre, ami, allié ou acolyte, fut repéré assez vite, mais la fierté que j'en avais subit un choc le jour où, visitant à Helsinki une exposition consacrée à l'histoire du livre, je tombai en arrêt sur de tout pareils aux miens dans une salle réservée au XVIIIe siècle. Mais, après tout, avoir réinventé une forme datant des Lumières, ce n'était pas pour me déplaire…

Voilà pourquoi, mademoiselle Esperluette, quand il est question des métamorphoses que l'habileté et l'invention imposeront au livre dans l'avenir, je pense d'abord au sort de cette intimité, au souci que l'on aura (ou que l'on n'aura plus) de l'intelligence complice qui rend parfois le livre si semblable au coffret où sont serrées des lettres dont nous ne voulons pas nous défaire bien que nous ne les relisions jamais.

Le livre, voyez-vous, n'est pas seulement l'habit du texte, il en est aussi le représentant, l'émissaire, et de sa tenue dépend en partie la relation que nous avons avec lui. Qu'il vienne à perdre sa retenue en ce domaine, et le texte en subira des conséquences insoupçonnées.

HONNIS SOIENT QUI MAL Y PENSENT

Ah, vous avez déjà dû l'entendre, mademoiselle Esperluette, la voix caquetante qui se fait passer pour celle du sens commun. "Un peu de tenue, nous dit-elle, soyons lucides, réalistes, et à l'exemple de la repasseuse qui met au fond de l'armoire lingère nos chemises aux poignets et au col élimés, mettons au rancart les idées usées. Sachons voir que, *hic et nunc*, nous vivons dans une société qui n'est pas avare de ses bienfaits innovateurs."

Eh oui, vous l'entendez, cette voix (ou cet acouphène ?) qui, par tapages et sérénades, nous fait l'incessante proclamation de l'habileté, des aptitudes et des accomplissements de notre temps. Par la réitération publicitaire, par le déchaînement propagandiste et par une confiscation délibérée du langage critique, elle veut nous en convaincre sans pour autant nous le démontrer : pourvu que l'on y mette le prix – et tant pis pour ceux qui ne veulent pas le mettre ou n'ont pas capacité de le faire –, il n'est pas d'ambition qu'on ne puisse satisfaire, de besoin qu'on ne sache un jour combler ni de désir qu'on n'arrive à exaucer, pas d'obstacle qu'on n'arrive à réduire ou de péril à conjurer, pas d'axe du mal dont on ne triomphe finalement avec celui du bien. On s'attendrait même que, dans leur frénésie, les proclamateurs de ce nouvel âge d'or, dévots des temps nouveaux, engagent un jour quelques procédures canoniques contre les incendies, les inondations ou les tremblements de terre qui ont l'outrecuidance de rappeler qu'il y a des limites naturelles à leurs prétentions. On a marché sur la Lune, on sait maintenant qu'il y eut de l'eau sur Mars, le temps de la colonisation planétaire paraît n'être plus très éloigné, on part en touriste dans l'espace, à la vitesse de Mach 7 on pourra bientôt bombarder une lointaine cité ennemie en moins de temps qu'il n'en faut pour la retrouver dans notre atlas, on opère à distance par la téléchirurgie. Nous sommes dans une époque d'exploits, de prouesses et de performances dont le sens n'a pas à nous préoccuper – même si, par la frénésie qui l'accompagne, il commence à inquiéter les scientifiques eux-mêmes – pourvu que nous en reconnaissions l'utilité et marquions notre gratitude par notre confiance et notre servitude. *I am bound to hear*, dit Hamlet. Et c'est notre cas, nous sommes obligés d'écouter et forcés d'entendre ces recettes et ces modes d'emploi qui nous disent comment jouir et nous réjouir, mais jamais pourquoi.

Mais ce pourquoi importe-t-il vraiment ? A quoi servirait de jouer au singe philosophe ou au bourricot contestataire, sinon à freiner le développement et à le rendre plus coûteux qu'il ne doit ? De quelle sottise ferions-nous preuve, et de quelle absurde malveillance ferions-nous étalage, si nous nous obstinions à nous mettre martel en tête et à montrer de l'inquiétude pour le livre et pour la lecture ? Même si nous ne savons pas encore le visage que les inventions donneront aux choses, qu'avons-nous besoin de nous tourmenter ? La photographie a-t-elle éliminé la peinture ? Le cinéma a-t-il aboli la photographie ? La télévision n'a-t-elle pas porté le cinéma dans les chaumières et les informations à ceux qui ne lisaient pas de journaux ? Le disque et ses incessants avatars ont-ils oblitéré la musique ?

Et les DVD, avec le choix des langues, les commentaires apportés par les *bonus* et la possibilité de voyager d'un chapitre à l'autre, ne donnent-ils pas au film l'attrait jusqu'ici exclusif du livre ?

Tenez, pour le revoir à l'aise – car j'aime revisiter les films et réécouter les disques de mon choix comme je relis des livres dont je sais que je n'épuiserai jamais toutes les saveurs et tous les sens –, je viens de me procurer le DVD de *The Hours*, le film éponyme que Stephen Daldry a adapté du roman de Michael Cunningham[10], et j'ai trouvé, à la suite du film lui-même, une série de commentaires et de documents iconographiques sur les Woolf et le groupe de Bloomsbury qui m'ont instruit de choses que je ne connaissais pas. Honnis soient qui mal y pensent.

Sans doute, à l'heure de la lecture, ne sommes-nous disposés à nous mettre ni dans un fauteuil ni au lit avec une casserole électronique sur les genoux en manière de livre. Mais un peu de patience, que diable ! L'habileté de nos trouveurs et les progrès de la nanotechnologie peuvent nous valoir un jour prochain un in-dix-huit, vierge d'apparence, sur les pages duquel, comme s'ils étaient imprimés à l'encre sympathique, les textes apparaîtraient et s'éclipseraient à la demande, un livre ainsi capable de nous permettre de choisir en un tournemain nos lectures dans toute la littérature du monde.

Réfléchissez, mademoiselle Esperluette, cela ne s'est-il pas vu déjà avec le téléphone qui était encore, il n'y a guère, appareillage tout emberlificoté par ses manivelles et cordons, placé sous la tutelle des demoiselles opératrices, et qui est devenu en quelques décennies une sorte de petite tabatière de poche d'où, pour vous prévenir que l'on cherche à vous joindre de Tombouctou, peut surgir le "Toréador, prends garde" de Bizet pendant un récital Schubert à Pleyel ? En attendant – nouveau prodige auquel il faut peut-être vous préparer – que nous soit greffée sous la peau, à la naissance, une puce nous donnant plus tard libre accès à la Bibliothèque nationale ou à celle du Congrès de Washington, selon le choix qu'auront fait nos parents[11].

Et d'ailleurs, si nous vivions au temps qui a vu surgir l'imprimerie, serions-nous de ceux qui l'ont vouée au diable et à l'enfer ? Honnis soient qui mal y pensent.

UN FLEUVE TRANQUILLE ?

Tout de même, nous ne naviguons pas sur un fleuve tranquille, et dans cette société du bonheur programmé il y a des grondements de frustration, des révoltes d'insoumis, des violences d'exclus, l'exaspération des méprisés, la mauvaise foi de certains adversaires de la modernité, et aussi vos interrogations inquiètes, mademoiselle Esperluette. Car, je ne vous vois pas vous résoudre à ce bonheur formaté, vous soumettre aux injonctions de cette publicité obsédante et directive, ni trouver votre place dans une société où ce qui ne serait pas interdit deviendrait obligatoire. Vous redouteriez – et je ne vous en blâme pas – que par ces manœuvres généralistes fussent menacés vos plaisirs particuliers.

Mais pour vous débrouiller dans pareil enchevêtrement, mieux vaut savoir ce que vous abordez et qui vous affrontez. La question déterminative est donc ici de se demander de quoi l'on parle quand on évoque, sans cesser de les conjoindre, le livre et la lecture. C'est pourquoi il me paraît urgent de vous rappeler que livre et lecture sont en quelque sorte les amants rivaux d'une belle capricieuse qui se nomme écriture. Dans cette comédie à trois personnages, c'est tout de même elle, l'écriture, qui est la vedette, c'est à elle, convenez-en, que revient le premier rôle. Sans elle, livre et lecture seraient réduits au commerce des manuels, des nomenclatures, des annuaires, des affiches électorales et autres pandectes.

Du coup surgit une nouvelle question, et non des moindres, qui est de savoir ce qu'en sa robe de texte devient l'écriture quand à elle se proposent et parfois s'imposent les substituts ou succédanés du livre, et quand se transforme un lectorat en proie aux sollicitations injonctives dont il est la cible. Car vous n'imaginez tout de même pas que l'écriture puisse demeurer immuable en son autorité, indifférente aux bourrasques qui transforment à la fois le support qui la rend visible et la manière dont la prennent ceux à qui elle se donne ! Rappelez-vous

Gérard Genette définissant son fameux paratexte – "ce par quoi un texte se fait livre et se propose comme tel à ses lecteurs[12]" – et vous comprendrez qu'à l'inverse le texte, expression de l'écrivain, ne saurait demeurer insensible quand le livre se dénature et lorsque le lectorat se transfigure.

Alors, me demanderez-vous, l'écrivain pourrait n'être plus le maître de ce qui s'écrit ? Mais ce serait inimaginable ! Eh bien si, c'est imaginable, mademoiselle Esperluette. Car, si forte soit sa nature, l'écrivain, pas plus que les autres, n'est à l'abri des pactes faustiens. Par des vents multiples, par des sirènes à la voix ensorcelante et par bien d'autres tentations il est porté vers des aventures aux conséquences inattendues. Vous verrez l'un, avec son désir d'être visible parmi ses pairs et devant ses lecteurs, s'engager dans la stratégie de la reconnaissance, porter le débraillé qui convient et parler comme il croit qu'il le faut. Vous verrez un autre qui se cherche une niche ou un promontoire d'où il lui est possible, ermite ou stylite, d'entendre les voix intérieures et d'appeler à pleine gueule les orages chers à Chateaubriand. Vous en verrez encore qui, dans l'héritage du Schnitzler de *La nouvelle rêvée* et à l'instar du Stanley Kubrick de *Eyes Wide Shut*, son adaptateur, sont pressés d'accorder une valeur prophétique à leurs rêves d'écrivains hantés par les bas-fonds qu'ils fréquentent dans leur for intérieur et obsédés par un érotisme qui les dépasse. Mais vous en verrez aussi – ils sont évidemment plus rares et moins visibles – qui délaissent les tumultes du moment pour retourner à ceux de la mémoire, tel l'inoubliable *Austerlitz* de Sebald[13].

LE VISAGE DE LA MÉDUSE

Oui, mais observez-les, ces thuriféraires du profit permanent et de l'extension continue ! Indifférents à nos tumultes d'initiés, ignorant la différence entre invention et création au point de les confondre, insensibles à l'idée pourtant inquiétante que les inventions progressent plus vite que ne courent les inventeurs, ils n'interrompent pas leur croisade. Ils disent inéluctable et juste que la fonction s'adapte indéfiniment au constant perfectionnement de l'outil – forme subtile de la servitude. Ils affirment avec mépris que, par leurs innovations et par les lois du marché, les livres seront ce qu'elles auront décidé que les livres devaient être – forme déclarée du pragmatisme totalitaire. Le tumulte les rend sourds, ces croisés, et l'ambition les aveugle.

J'eus à connaître l'un d'eux, souverain régnant sur l'une des plus grandes agences de publicité du monde, qui galvanisait les rédacteurs-concepteurs de son équipe en leur affirmant, chiffres des tirages à l'appui, qu'avec leurs annonces paraissant dans les journaux et les magazines ils étaient les écrivains les plus lus de la planète. Bien plus, disait-il, qu'un Hemingway avec *Le vieil homme et la mer* ou un Druon avec ses *Rois maudits*, deux livres qui avaient alors la cote et dont il avait sans doute lu un condensé dans quelque *Reader's Digest* auquel il était abonné. Et qui osait mettre cette assurance en doute – et à fortiori dire que ça revenait à mélanger les torchons avec les serviettes – se voyait traiter d'aveugle, d'ingrat ou plus sûrement d'impuissant...

Quand il est question du devenir du livre et de l'avenir de la lecture, et par force de l'écriture, mademoiselle Esperluette, rien ne me paraît donc plus trompeur que d'y voir une banale récurrence de l'académique conflit entre les anciens et les modernes. Le livre et la lecture sont, avec le reste, au cœur du tumulte, et il faut accepter de voir le monde tel qu'il est, dans sa confusion. Sauf à redouter, comme si c'était celui de la Méduse, de regarder en face le visage de la complexité.

LE TEXTE EN A VU D'AUTRES

Qu'il soit parlé ou écrit, les linguistes accordent au texte le même statut d'énoncé qui fait sens. C'est dire que le texte ayant un passé presque aussi lointain que celui de la parole, il a connu, depuis les origines, les moyens les plus divers pour "assurer sa présence au monde[14]". De la profération à son inscription dans l'argile ou la pierre, des tablettes aux papyrus, du *volumen* au *codex*, des incunables aux livres industriels, de l'enregistrement analogique à l'apparition récente du numérique, le texte a manifesté son être-là dans une alliance circonstancielle, plus ou moins réussie, du sujet avec le support.

Jusqu'au moment où, de manière d'abord insidieuse puis progressivement insistante, s'est engagé un renversement des rapports, une inversion des flux. Le support ne se contentait plus d'être l'affût de canon du texte, et celui-ci, privé d'une autorité jusque-là irrécusable, s'est trouvé peu à peu dominé par ce qui était censé le servir. "Le message, c'est le massage", se sont alors exclamés les plus présomptueux (ce n'étaient pas les moins inquiets) qui se réclamaient de McLuhan[15] après l'avoir survolé. Il nous fallut comprendre que le texte, le livre et le lecteur désormais n'étaient plus dans la même congruence.

Mais, si tenté que je sois de hausser les épaules et de vous dire que le texte en a vu d'autres, qu'il tirera son épingle du jeu comme toujours il l'a fait – ne serait-ce que pour ce motif : sans texte, on ne parlerait plus de paratexte ni de livre ni de lecteurs –, force m'est de constater que sa résistance aux conceptions nouvelles du livre, aux extravagances de certains zélateurs et aux foucades sinon aux caprices des lecteurs, n'est pas ce que l'on croyait. Des pans entiers de la falaise s'effondrent. Et pour mieux vous en rendre compte, il faut lever un coin du voile qui couvre le visage de l'auteur.

Car c'est l'auteur, le tisserand du texte, ma chère, c'est lui qui s'évertue à écrire comme on tisse, c'est lui qui, s'il n'est pas réduit au silence et à la solitude par l'inhabileté ou l'insuccès, se voit peu à peu, au gré de ses prouesses, entouré d'une nuée de conseilleurs, de manipulateurs, de critiques et de juges, c'est lui qui prend les coups quand on en donne, c'est lui que l'on célèbre ou que l'on vilipende selon la place qu'il occupe (ou n'occupe pas) dans la liste des meilleures ventes (imitée du box-office du cinéma, et ce n'est pas innocent), c'est lui que l'on porte au pinacle ou que l'on jette au ruisseau. C'est lui, tout à la fois, le créateur, l'artisan et le bouc émissaire, c'est lui le saltimbanque "désirable et humilié[16]". Et c'est lui que l'on voit, aujourd'hui, non seulement en proie à un vertige imitatif, mais de plus en plus incité par la pression collective à prendre en compte ce qui se joue dans une course où tant de parties sont engagées.

C'est lui que l'on voit paraître sur les plateaux de télévision, non plus seulement dans les débats littéraires qui sont désormais réservés aux noctambules, mais dans ces émissions souvent obscènes dont, acceptant d'être le faire-valoir, il devient le candide otage ou le triste huron quand ce n'est pas le navrant Unrat de *L'ange bleu*.

C'est encore lui que l'on surprend, déboussolé au sens propre du terme, tout préoccupé de choisir forme et sujet en fonction des modes et des succès, s'efforçant dans l'agitation de dominer ou de refouler les tendances de l'époque. Et il a beau relever alors la tête et reprendre, pour se rassurer, la belle formule : "Etre dans le vent ? Vocation de feuille morte[17] !", il ne trouve pas la sérénité qu'il lui faudrait pour écrire, il découvre qu'il est plus vulnérable qu'il ne l'imaginait, et il reste confronté (puisque de vent il est question) aux bourrasques contemporaines.

QU'EST DEVENUE L'ANGOISSE DEVANT LA FEUILLE BLANCHE ?

Au risque de tinter comme vieille cloche, j'aurais presque envie, mon amie, de sonner le glas – comme celui qui, en ce moment, annonce l'envol d'une âme de ce village – pour marquer le regret d'un temps où, dans sa solitude, l'écrivain était en proie à l'angoisse devant la page blanche. Un "que vais-je écrire ? comment vais-je l'écrire ?" qui, au fil des ans, a été remplacé par un "comment vais-je apparaître et pour qui va-t-on me prendre ?". En effet, sans presque y prendre garde, on est passé de l'éréthisme du créateur à une anxiété attisée par les manigances d'une société qui admire l'exploit plus que le talent, un monde plus prompt à demander "c'est qui ?" qu'à se demander "ça signifie quoi ?"[18]. L'obsession du voyeurisme a pris la place du plaisir de lire et, constatez-le, les aveux indiscrets plaisent aujourd'hui plus que les bonheurs d'écriture (ainsi que, dans ma jeunesse, on les appelait).

Mais dans le déferlement de tels mélos et strip-teases qui font concurrence à la téléréalité, dans l'ivresse autofictionnelle que n'avait pas imaginée Serge Dubrovsky, et dans cent tragicomédies dont je pourrais vous entretenir si j'en avais le goût ou le caprice, je vous conseille d'être d'abord attentive, mademoiselle Esperluette, à une rage épidémique : la rage d'écrire par rage d'exister, un besoin de donner de la voix dans le tumulte où l'on pourrait n'être pas entendu. Rage et besoin qui peuvent expliquer l'insoutenable accroissement de la production écrite, dans un temps où, paradoxe, on dit haut et fort que la lecture s'amenuise, régresse, s'atrophie, bref serait en voie de disparition.

Vous noterez que cette abondance ne vient pas seulement des écrivains qui craignent de rester en rade s'ils ne publient pas au moins un livre tous les deux ans et entre-temps quelques articles. Elle est aussi enflée par les dizaines de milliers de manus-crits qu'aux éditeurs envoient des candidats écri-vains qui, cherchant à percer dans un monde cruel et bavard, tentent ainsi de ne pas périr dans les cata-combes de l'anonymat. Le croirez-vous ? Au temps, pas si lointain, où j'étais éditeur de plein exercice, j'en recevais une trentaine par jour ! Il vient d'ail-leurs un moment où, sous peine d'ensevelissement, il faut envoyer à la destruction d'archives les ma-nucrits impubliés qui n'ont pas été réclamés par leurs auteurs.

Il s'est pourtant trouvé des âmes compatissantes pour se dire qu'il faudrait recueillir ces "inédits" comme le sperme des pendus, afin que pousse et fleurisse la mandragore. Et d'autres pour imaginer la création d'une sorte de conservatoire où seraient accueillis les manuscrits refusés afin que rien ne fût perdu qui avait été écrit. "On devrait en faire des bibliothèques, les cahiers du tiers état en 1789…" m'a dit un jour Marguerite Duras[19].

De surcroît, la crue est accentuée par d'innombrables livres, sur des sujets de mode ou d'actualité, que des épiciers éditoriaux (je n'ai rien contre les épiciers, pourvu qu'ils ne prétendent pas jouer aux éditeurs), toujours à l'affût de bons petits coups, commandent à des plumes serviles, "docs de choc" comme on les appelle dans le métier, dont l'espérance de vie souvent ne dépasse pas quelques semaines. A quoi il convient d'ajouter l'épidémie de courriels et de pourriels[20] par le truchement desquels se déroulent de curieuses fêtes galantes avec fièvres dactylées, épidémie favorisée par l'accès généralisé aux facilités de l'internet qui, à l'heure où je vous écris, se prévaut, le coquin, de son "haut débit". De telle sorte que, dans une époque où l'on est prompt à proclamer la lecture en crise et l'écriture en perdition, la prolifération de l'écrit se manifeste avec une frénésie jamais vue.

Et n'allez pas objecter que ce sont là des pratiques différentes qu'il ne faudrait pas mêler pour des besoins démonstratifs. Oui, elles sont différentes, ces pratiques, mais dans leurs manifestations ordinaires, dans ce que les branchés appellent "le champ de la communication", elles s'entremêlent telles les voitures aux heures de pointe – limousines, poids-lourds et guimbardes pare-chocs contre pare-chocs –, pour arriver à ceci, que l'écriture est maintenant en proie à une extravagante ébullition dans laquelle les signes distinctifs ne sont plus évidents ni les frontières repérables.

Et puis – mais c'était prévisible –, les lecteurs sont eux-mêmes emportés dans ce tumulte au point de lire à hue et à dia et souvent de ne plus savoir à quel saint se vouer. Dès lors, belle demoiselle curieuse de l'avenir, je vous le demande, qui pourrait parier sur le futur ? Qui s'aventurerait, au risque de se perdre ou de se ridiculiser, à décrire les conséquences de pareille confusion ?

Il est peu vraisemblable en tout cas que, sauf à connaître un cataclysme ou un bouleversement brutal, on se retrouve en un lieu où, soudain, dans une logique imprévisible ou par un affaissement inexplicable, le tumulte s'apaiserait et permettrait de voir, dans un décor nimbé de clarté, un paysage littéraire d'une douceur crépusculaire. En vous écrivant cela, il me revient que le mot "crépuscule", qui désigne l'incertaine lumière du couchant, parfois aussi sert à désigner l'aube. Et je me dis que cette indétermination est emblématique.

Plus rassurant serait, si tant est qu'il faille se rassurer, d'imaginer dans ces eaux tumultueuses l'émergence de quelques îles, voire d'un archipel, où auraient fini par se regrouper, se reconnaître et s'organiser des écrivains chez qui serait demeurée présente une certaine idée de l'écriture, de sa nécessité et de ses œuvres. L'idée "que Dieu n'est à son aise qu'en petit comité, de même qu'il ne réussit vraiment que les petits morceaux[21]".

LA MÉLANCOLIE DES ÉCRIVAINS

Ce matin où le ciel a des couleurs menaçantes qui donnent envie de revoir une pièce de Strindberg ou un film de Bergman, reprenant cette lettre abandonnée hier soir, je vous dirai, mademoiselle Esperluette, que les écrivains sont chez nous d'autant plus englués dans cette turbulente et indéfinissable mutation qu'ils ont le tempérament mélancolique.

Ils ont toujours eu soif de reconnaissance et longtemps, sous des airs de n'en pas vouloir, ils se sont persuadés – et ils s'en persuadent encore, croyez-moi – qu'ils détenaient une autorité de droit quasiment divin à laquelle aspirent ceux qui se sont mis en tête de les rejoindre sur les marches du trône ou de l'autel. Aujourd'hui, régnants ou prétendants, tous savent ou se doutent que la reconnaissance et l'autorité ne sont plus simple affaire de talent, qu'elles s'obtiennent, se conquièrent, s'arrachent au prix de tapages médiatiques, d'arrangements clientélistes, d'intrigues entre initiés, de mondanités soutenues et de rumeurs orchestrées. Pour ce motif, les uns, tout en s'efforçant par leurs attitudes de conserver quelque noblesse, descendent les marches du trône afin de se mêler à la foule, tandis que les autres les grimpent quatre à quatre sans être embarrassés de respect ou d'égards.

Ceux-ci m'intéressent, pour l'instant, plus que les autres. Car, pour marquer leur émancipation, pour montrer que le temps passe et que les générations ne se ressemblent pas, et aussi – mais cela, ils le dissimulent – pour se débarrasser d'encombrantes contraintes, les plus présomptueux de ces conquérants s'en prennent au langage et à ses formes. Et eux, qui n'ont pas pour le faire la verve d'un Rabelais ou la fièvre d'un Rimbaud, l'autorité d'un Céline ou l'humour d'un Queneau, ou encore le tour de Michaux dans *Le grand combat*, ils s'en justifient par cette prétention que j'ai entendue cent fois dans leur bouche : "Ça fait sens !" Evidemment, ça fait sens, mais l'ignorance ou la trivialité, elles aussi, font sens ! On devrait leur mettre entre les mains la *Circulaire sur l'orthographe des enseignes à Paris* que rédigea le préfet Delessert en 1846 : "Vous comprendrez avec moi que, dans une capitale civilisée comme la nôtre, à une époque où l'instruction est aussi répandue, il est fâcheux de voir la langue française publiquement maltraitée jusque dans les quartiers les plus brillants et les plus fréquentés par les étrangers."

Du balai ! s'exclameraient ces petits Rubempré qui, en vous apportant leur manuscrit mis en plis et si joliment formaté par l'ordinateur, vous disent que, dans le temps où ils écrivent, jamais ils ne lisent, par souci de n'être pas influencés. De maîtres ou de patrons ils n'ont cure, de modèles et d'exemples ils n'ont que faire.

Il m'est arrivé de recommander à tel jeune postulant, à telle débutante, un exercice qui a fait ses preuves. "Prenez donc, leur disais-je, un auteur que vous admirez particulièrement, choisissez dans son œuvre le livre dont la lecture vous a bouleversé, et dans ce livre telle page qui vous a illuminé. Vous la trouverez sans peine si, comme je l'espère, les livres de votre bibliothèque ont des pages marquées par les signes que votre jouissance de lecteur vous y a fait poser. Ces pages-là, recopiez-les lentement, à la main, sans omettre une virgule, et vous découvrirez la mystérieuse alchimie de l'écriture, vous accéderez à la magie de l'écriture générative." A quelques exceptions près, dans les meilleurs des cas, je voyais l'incrédulité ou la compassion frémir dans leur regard, et dans celui des autres la trémulation du mépris.

Il faut donc en convenir, chère amie : s'il n'est pas tout à fait désacralisé, du moins pas encore, le statut de l'écriture bat de l'aile. D'aucuns, à signer de temps à autre un livre, préféreraient paraître régulièrement à l'écran. Le respect et la déférence qui faisaient à la fois une auréole et une armure aux gens de lettres risquent de n'être plus bientôt, dans ce monde hologrammatique, que breloques et accessoires d'un théâtre archaïque.

Si vous n'êtes pas encore lasse de mes détours, mademoiselle Esperluette, je vous invite ce matin à relire avec moi, dans la lenteur qui s'impose, quelques lignes de Giono… "Avec l'écriture, dit-il, on n'a pas un instrument bien docile. Le musicien peut faire entendre simultanément un très grand nombre de timbres. Il y a évidemment une limite qu'il ne peut pas dépasser, mais nous, avec l'écriture, nous serions même bien contents de l'atteindre, cette limite. Car nous sommes obligés de raconter à la queue leu leu ; les mots s'écrivent les uns à la suite des autres, et, les histoires, tout ce qu'on peut faire c'est de les faire enchaîner[22]."

"Tout ce qu'on peut faire…" Par ces mots, vous méditerez sur l'une de ces mystérieuses impuissances, incapacités ou misères de l'écriture qui, pour ceux qui les connaissent, les fréquentent, les méditent et les affrontent, sont la source même de son pouvoir et de son mystère. Or la périlleuse aventure qui consiste, en fin de compte, à faire reculer les frontières du langage pour en élargir le territoire, c'est celle qu'avec leurs baskets envoient valdinguer des écrivants qui ne sont dits écrivains que par le dossard dont ils s'affublent et par la publicité que parfois on leur fait.

Mais n'allez pas imaginer que je les tienne pour usurpateurs ou simples imposteurs, ces entichés d'écriture. Il y a des dérèglements salutaires comme il y a de fécondes folies. Même si leurs ambitions sont équivoques, de tels garnements ont, eux aussi, le sentiment qu'il leur faut participer d'une manière ou d'une autre à la translation de cette chose énigmatique et infiniment mystérieuse qu'ils ont reçue ou perçue, et qu'ils veulent transmettre à leur tour après l'avoir fait passer par leur alambic personnel : le pourquoi de leur présence au monde. Leurs percepts – au sens où l'entend Deleuze[23] en parlant de ce qui fait survivre perceptions et sensations à ceux qui les ont éprouvées et traduites – ne sont pas insignifiants, ils font partie de notre magma collectif, et pour cela je les respecte.

"N'importe : je fais, je ferai des livres, disait Sartre ; il en faut ; cela sert tout de même. La culture ne sauve rien ni personne, elle ne justifie pas. Mais c'est un produit de l'homme : il s'y projette, s'y reconnaît ; seul, ce miroir critique lui offre son image[24]." Et l'Américain Don DeLillo, lui, quarante ans plus tard, dans un entretien à propos de *Cosmopolis*[25], affirme qu'il est important pour l'écrivain "d'écrire contre le pouvoir, les corporations, l'Etat, et l'ensemble du système de consommation". L'ombre de Rousseau et la silhouette de Guy Debord ne sont pas loin...

Mais soyons sur nos gardes car, dans le désordre du chaos, à notre nez et à notre barbe (pardon, mademoiselle), une esthétique nouvelle est peut-être en train de se former dont nous n'avons pas plus idée que ceux qui la tricotent. Il peut arriver qu'un nouveau baroque ou un nouveau kitsch, pour reprendre les exemples avancés par Duvignaud, soient en train de germer dans le tumulte, encore invisibles à nos yeux. Avec toutefois cette différence : rien aujourd'hui n'est vraiment protégé de la curiosité, de l'indiscrétion ou du harcèlement, rien n'est à l'abri de la rumeur, des plumes, des micros et des caméras, rien n'est mithridatisé, protégé de la contagion ou de la contamination, rien ne reste dans l'ombre, rien en dehors. Dans la même marmite, alternativement en train de mitonner ou de bouillir, quand, tous feux éteints, la potée n'est pas en train de refroidir, se retrouvent les créateurs et les créatures, les manipulateurs avec les manipulés, l'art, la culture, les maîtres et les apprentis, les actifs et les passifs, les producteurs et les consommateurs, l'économie et même cet organe viscéral qu'on appelle la conscience.

Mais comme s'il s'agissait de me rappeler que toute nouveauté a des gènes anciens, je tombe, dans une récente anthologie[26], sur cette remarque d'un vieux pessimiste, Julien Benda, qui avait en son temps dénoncé *la trahison des clercs* : "Il suffit d'ouvrir un manuel de littérature grecque ou latine, écrit-il, pour constater que les belles époques littéraires sont d'un demi-siècle alors que les littératures dites de décadence durent six cents ans."

Six cents ans... cela fait combien de générations, mademoiselle Esperluette ? Mais peut-être avez-vous un destin de Belle au bois dormant de la littérature sur les lèvres de laquelle, vers 2600, un

galant écrivain viendra poser le baiser de la résur-
rection…

DE L'INVERSION DES PÔLES

Maintenant, gardons-nous de croire que la crise qui
nous tracasse serait crise circonscrite à la littérature,
à l'édition, à la lecture, crise d'un secteur particulier qu'il suffirait de mettre en quarantaine pour évi-
ter qu'il n'en contamine d'autres et pour lui apporter
les soins particuliers qui le tireraient d'affaire.
  Il faudrait, en effet, être sourd, aveugle et même
quelque peu attardé pour ne pas voir que c'est notre
société dans sa tumultueuse totalité – et avec elle, de
manière si souvent dégradante, les sociétés dépen-
dantes – qui est emportée dans une singulière mutation, une sorte de révolution au double sens du terme,
astronomique et politique, dans laquelle, de bon ou
de mauvais gré, tout est embarqué, impliqué, une
sorte de "grand dérangement" qui dépasse de loin,
par ses intrusions, ses ravages et ses conséquences,
le changement provoqué par ce que l'ère libérale
appelle la "mondialisation".
  "Quelle distance sépare Bruxelles de Paris ? m'avait
demandé mon grand-père quand j'étais enfant.
– Trois cents kilomètres ? avais-je risqué avec un peu
d'inquiétude car je connaissais les ruses pédago-
giques du bonhomme. – Non, avait-il fait, souverain,

en étalant une carte sous mes yeux. Trois centimètres !" Je n'avais eu ni la présence d'esprit ni l'audace de lui répliquer que la carte n'est pas le territoire, et il m'en fit reproche. Cette leçon-là, qui me fut donnée quelques années avant de découvrir les *ceci n'est pas une pipe* et *ceci n'est pas une pomme* de Magritte, je ne l'ai pas oubliée, ni oublié comment elle allait me rendre attentif à la précipitation des événements.

Surgies des boîtes de Pandore de la recherche, les prouesses analogiques, télématiques et numériques ont, en effet, depuis lors, si bien réussi à tout transformer en signes et images[27], si bien réussi à les répandre sur la planète entière, à les faire défiler sur des millions d'écrans (voyez les paraboles qui ornent le paysage urbain des cités, même les plus pauvres), si bien réussi à les décliner, les combiner, les raffiner, à leur donner des rythmes qui en déforment si malignement le sens, à les faire passer du témoignage à la subversion en un si habile tournemain, qu'il n'est plus un événement, plus un pan de l'histoire, plus un coin de la connaissance, plus un aspect de la création ni même une bribe de la pensée qui n'aient été captés et représentés, interprétés, métamorphosés, anamorphosés, bistournés avec tant de désinvolture, avec une si perfide malice, avec un tel mépris de l'historicité de notre héritage, et à une cadence si infernale, qu'aux milliards d'yeux qui les contemplent et les scrutent et les suivent et en redemandent même quand ils en perçoivent l'artificialité ou l'inaccessibilité, ces représentations virtuelles ont, avec leurs mirages, pris la fonction et le rôle qui étaient ceux des réalités tangibles.

Peu à peu, mais en vérité très vite, la révolution s'accomplit, me disait récemment une amie danoise qui en a fait l'argument implicite d'une fable étrange[28], une révolution qui, à terme, pour autant qu'un terme soit imaginable dans cette procédure, aura vraisemblablement inversé les pôles de la perception. Le virtuel, instrument de la servitude, sera devenu la réalité fondamentale et le réel, lui, affligé par la pauvreté de n'être qu'un réel sans magie, sans prestige et sans sortilège, privé de ses tambours et de ses trompettes, apparaîtra comme une pauvre et triste contrefaçon.

Alors, cette révolution dans laquelle nous sommes aujourd'hui engagés, *nolens, volens*, sans en avoir une claire perception, sans comprendre que plus tard, aux yeux de l'histoire, elle aura peut-être plus d'importance que n'en eut la révolution industrielle, puisse-t-elle (vœu assez illusoire, j'en conviens) tourner court ou capoter ! Car vous imaginez dans quel abîme de platitudes, sinon, se trouvera précipitée la littérature, elle qui avait pour fonction de susciter et de stimuler, dans le théâtre de notre affectivité et dans l'arène de notre imagination, des représentations dont nous étions les seuls acteurs. Que deviendront, à leur tour, ces merveilleuses machinations qui sont et seront de plus en plus souvent confrontées à celles, toujours nouvelles, toujours présentes mais jamais préhensibles et sans cesse volatiles, qui ont entrepris de les dévorer ?

"Toute révolution qui n'est pas accomplie dans les mœurs et dans les idées échoue", disait Chateaubriand dans son *Histoire de France*. Echouer ? Pour n'être pas définitivement dépossédée de son pouvoir et de ses mandats, la littérature devrait avoir l'ambition d'une sorte de *Reconquista*, en prenant pour objet, sujet, voire cible obsessionnelle, la dramaturgie même de cette mutation diabolique. Mais pour être capables de pareil sursaut, quel tempérament de philosophes devraient montrer des romanciers confrontés au permanent impératif du régime binaire : à prendre ou à laisser !

Au fond, c'est la question de la modernité qui par ces voies se manifeste. "Nous appelons précisément «moderne» ce qui se rend sensible à faire brusquement vieillir les notions, vouées dès lors au sort des monuments", dit le philosophe Michel Guérin[29]. Voilà qui m'incite à me demander si, au moment où tout est virtualisé avec pareille frénésie, le désir archaïque de cristalliser dans la durée ce qui est en train de s'écrire a encore le moindre sens, si l'idée que nous nous faisons du temps n'a pas pris un sérieux coup de vieux dans ce tumulte, et si le futur, lui, a encore la moindre possibilité de faire étape dans le présent avant de basculer dans le passé.

En vous brossant à la Jérôme Bosch le tableau de ces enfers et de nos petits paradis menacés, il me vient à l'idée que nous sommes peut-être des héros, vous, mademoiselle Esperluette, et moi qui vous ai rejointe dans des inquiétudes dont j'avais d'abord l'air de me moquer. Des héros un peu ridicules, mais des héros tout de même. Alors, en complice, je vous la pose, cette question que je me pose : et si nous faisions partie des derniers résistants à une razzia liberticide dont les pillards, persuadés que l'action suscite la pensée – ils en sont pourtant fort dépourvus – et convaincus que le libre-échange est une sorte de libre pensée, se réclament de la liberté de publier et de vendre tout et n'importe quoi au prix de n'importe quels règlements de compte concurrentiels ?

Il me reste très présent qu'au temps où fut instituée par Jack Lang – le ministre de la Culture de François Mitterrand – la loi dite "du prix unique" qui allait sauver la nation des libraires des ravages entraînés par le dumping que pratiquaient de grands circuits de distribution (et jusqu'ici l'a sauvée), des voix se sont élevées pour protester contre ce qu'elles disaient constituer une atteinte à la liberté. Mais quelle liberté ? avons-nous demandé. La liberté d'écraser, au nom de la sacro-sainte concurrence, ce qui est rare, beau, fragile, périssable mais nécessaire au parcours éducatif, à l'épanouissement culturel et à l'efflorescence de la sensibilité ? Le livre, tel que nous l'entendons, ajoutions-nous, n'est pas un produit comme la gomme à mâcher, l'huile ou le savon, l'automobile ou l'ordinateur, il n'est pas non plus un service comme le transport aérien, la régie des eaux ou le téléphone. La question n'est pas d'avoir le meilleur produit au meilleur prix ni de subordonner par principe la sauvegarde d'une œuvre à celle de la trésorerie, mais d'empêcher la création littéraire d'être laminée ou remplacée ou ensevelie par des livres complaisants et serviles, dans les lieux mêmes où elle était jusque-là présente. La vraie liberté, c'est la liberté d'accéder à des valeurs qui ont le prix des choses sans prix.

Essayez toujours de dire cela à des financiers qui, en achetant une maison d'édition, rachètent des auteurs comme les stocks de l'usine qu'ils reprennent, des financiers qui, sachant signer un chèque mais ignorant ce que signifie signer une œuvre, se proclament "fédérateurs" de l'édition alors qu'ils asservissent la littérature à l'économie de marché en décrétant, comme l'un d'eux, que ne pas être du métier n'est pas un handicap ! Oui, essayez de le leur dire, vous apparaîtrez aussitôt comme retardataire ou débile.

Hélas, avec le temps qui court si vite, avec les choses qui changent sans que l'on s'en aperçoive, avec les clairs de lune que les nuages recouvrent en un instant, et avec l'obstination de libres-échangistes sans culture qui sont toujours prêts à démanteler les barricades de la liberté, d'innombrables produits de papier ont déjà été introduits dans le commerce du livre, une terrible confusion règne, et la plupart des librairies sont envahies par des "produits" dont la gestion, sous menace de déconfiture, est réglée avec le savoir-faire de cadres commerciaux issus des meilleures écoles de vente : rotation rapide, marges conséquentes et priorité aux plus performants dans l'ordre du profit.

Ah qu'importe, vous dira-t-on, des livres se vendent et les meilleurs l'emportent ! Il est incontestable, en effet, que des ouvrages de valeur s'imposent parmi les "produits d'appel" et que certains ont atteint par cette voie un succès qu'ils n'auraient pas connu autrement. Mais on ne vous dira pas – et d'ailleurs on l'ignore – combien succombent qui méritaient un autre sort que la mort précoce quand ce n'est pas la mort subite. On ne vous dira pas non plus que, pour des œuvres dont la première reconnaissance n'est pas évidente, les chances de s'imposer s'amenuisent si vite dans ce casino, que l'on peut se demander quelle capacité de s'inscrire lentement dans le thésaurus littéraire, comme ils le firent jadis, auraient aujourd'hui les premiers livres de Proust, de Joyce, de Musil, de Kafka. "Je mets un billet à une loterie dont le gros lot se réduit à ceci : être lu en 1935", écrivait Stendhal en 1835 dans la *Vie de Henry Brulard*.

Ah, peut-être ne sommes-nous que des Don Quichotte confrontés au réalisme des Sancho Pança, ou des illuminés pareils aux "hommes livres" de *Fahrenheit 451*[30] qui, pour préserver les œuvres de la disparition, les apprenaient par cœur. A moins – et ce sont les averses inhabituelles et les crues de ces jours derniers qui m'y font penser –, à moins que nous ne soyons appelés à monter à bord d'une arche pour y attendre la fin du déluge avec les livres que nous aimons… Mais les six cents ans de Benda, c'est bien long !

LES FAUX AMIS

Toutefois, s'il faut se réfugier dans l'arche, mademoiselle Esperluette, alors, pour le choix des livres que vous lirez en attendant qu'apparaisse la colombe avec son rameau d'olivier, prenez garde aux "faux amis" qui cherchent à vous diriger dans vos achats. De même que les traducteurs ne peuvent se laisser piéger par la fourbe ressemblance que, d'une langue à l'autre, offrent certains mots – comme *library* qui, en anglais, ne veut pas dire "librairie" mais "bibliothèque" –, de même il faut prudence avoir devant les conseils de lecture donnés par ces faux amis dont le masque vous fait croire qu'un jugement réfléchi, une conviction profonde ou un réel plaisir fondent leurs conseils, alors que ceux-ci procèdent d'une ambition mercantile.

Ce genre de matoiserie ne date pas d'hier, et il me plaît de vous raconter cette histoire… En 1923, Bernard Grasset recourut au film publicitaire, aux affiches et aux placards dans la presse pour annoncer, par rafales successives, la parution imminente du *Diable au corps* de Raymond Radiguet, et pour assurer d'avance le succès de "Bébé Cadum", comme il appelait alors son jeune auteur. La parution advenue, et loin de se laisser démonter par l'éreintement que Paul Souday, dans *Le temps*, ancêtre du *Monde*, avait (injustement, il faut le dire) infligé au roman, Grasset fit aussitôt insérer dans la presse une annonce ainsi libellée : "Tout le monde a lu l'admirable article de Paul Souday sur le premier livre de Raymond Radiguet, qui consacre définitivement la gloire du jeune écrivain." C'est là, si je ne me trompe, ce qui s'appelle ouvrir la porte au cynisme. Une porte par laquelle ils ont été de plus en plus nombreux à s'engouffrer en se parant de toutes les plumes de l'efficacité.

Ce n'est donc plus l'éditeur, amateur de bonne littérature, qui propose à des lecteurs avertis et désirants un ouvrage qu'il a pris sur lui de mettre en avant, c'est le marchand qui glorifie son produit avec l'esprit propre aux gens de la publicité – un monde, vous le savez, où la règle première veut que, sous peine d'excommunication, on tienne l'argumentaire commercial pour évangile –, c'est le camelot qui, sans avoir idée de ce qu'est une œuvre, désigne une brique de papier comme étant un chef-d'œuvre et qui, dans sa fièvre zélatrice, va jusqu'à confondre impudiquement œuvres et bonnes œuvres.

Vous vous demandez peut-être s'il est bien nécessaire de manifester tant de méfiance, de montrer tant de circonspection ? Après tout, vous êtes en droit de vous dire que dans de tels souks, dont le labyrinthe fait le charme, il y a plus d'une manière de retrouver son chemin. Ne serait-il pas naturel que vous songiez alors à des moyens de traverse, et par exemple aux recommandations de lecture que font à leur manière les prix littéraires ?

LA VALSE DES PRIX

Des prix littéraires, oui, vous auriez raison de le souligner, il en est d'excellents. Des jurés ont fait connaître, en effet, des écrivains qui sans leur initiative seraient peut-être restés longtemps dans des zones d'ombre. Mais il en est aussi – et parfois les mêmes – qui ont consacré des auteurs dont l'oubli a eu très rapidement raison (pas de noms, par pitié), alors même qu'on laissait sur le bord de la route des œuvres considérables. C'est que l'élection et la gloire éphémère de quelques-uns vont rarement sans le bannissement des autres.

Dans les années soixante du siècle dernier, les éditions Rencontre, à Lausanne, avaient lancé une collection dans laquelle étaient réédités, année après année, les livres qui, en leur temps, auraient dû, selon leurs experts, recevoir le prix Goncourt. Jean-Louis Curtis, Robert Kanters, Olivier de Magny, Maurice Nadeau et Gilbert Sigaux ont ainsi décerné, en 1962, le "prix Rencontre 1922" au *René Leys* de

Victor Segalen, manière de dire que les Goncourt eussent mieux fait, cette année-là, de choisir ce livre exceptionnel plutôt que de porter leurs voix sur *Le martyre de l'obèse* d'Henri Béraud. Ah, mademoiselle Esperluette, si vous ne l'avez pas encore lu, je vous presse de le découvrir toutes affaires cessantes, ce *René Leys*, alors qu'il ne me viendrait pas à l'idée de vous infliger *Le martyre de l'obèse*.

La réalité, ma belle, c'est que, dans le monde des prix, se joue chaque année une rapsodie où les découvertes voisinent avec les combinaisons, où le meilleur fréquente le pire. Assez pour vous faire perdre la boussole. Et d'abord, voyez que ces prix – en particulier en France – sont attribués par des académies, des clubs, des cercles ou des cénacles dont les jurys, la plupart du temps constitués de membres perpétuels, ne sont modifiés que par la disparition de l'un d'eux, de telle sorte que, avec la routine et le temps, s'établissent des règles, des complaisances, des arrangements, et s'indurent des habitudes et stratégies qui ressemblent à celles qui avaient cours dans les "comités de lecture" de mythique réputation, aujourd'hui quasiment disparus, petites arènes avec le temps devenues des lieux où la négociation entre partenaires prenait le pas sur le jugement littéraire.

Et puis, dès lors qu'il s'agit d'un des "grands" prix – entendez l'un de ceux sur lesquels sont braqués pour un temps, chaque année, les feux de l'actualité –, une véritable compétition économique se déclenche sous l'apparente loterie littéraire. Car, par ces prix-là, des ventes considérables sont promises, souvent de plusieurs centaines de milliers d'exemplaires. Ce qu'apporte un prix Goncourt à l'heureux éditeur du lauréat peut donc sauver celui-ci de la déconfiture financière qui le menace, ou grossir son bas de laine – et c'est le plus fréquent puisque le prix, par un divin hasard, va presque toujours à l'un des "grands" éditeurs d'un cercle très fermé. Quand des intérêts d'une telle importance sont en jeu, comment diable voulez-vous que règne la sérénité ?

Et puis, demandons-nous pourquoi les médias, dans leur ensemble, ont pris l'habitude de faire grand cas de certains prix et si peu de cas, voire aucun, de prix pourtant décernés par des jurys composés de membres dont la capacité d'appréciation et l'intelligence valent bien celles des honorables "Goncourt" ou autres "Renaudot". Pourquoi, sinon parce que la tapageuse personnalité des uns, dans la religion médiatique, compte plus que le discret jugement des autres. Pourquoi, sinon parce qu'une star rameute plus de lecteurs qu'un second couteau. Et dans la foulée, demandons-nous pourquoi si rares sont, venues de ces mêmes médias, les protestations, les controverses ou les contre-propositions quand l'attribution d'un prix à fort retentissement est d'évidence incompréhensible sinon scandaleuse.

D'ailleurs, parce que de Renaudot il vient d'être question, à l'instant me revient le souvenir d'une belle colère de Max-Pol Fouchet me prenant à témoin de son indignation : il avait frôlé, me dit-il un soir, l'éviction du comité dont il faisait alors partie car il avait eu le toupet de proposer que les jurés, ses confrères, soient désormais tenus de rédiger des notes de lecture afin que, dans les débats sur les livres inscrits dans la course, on fût certain que tous les avaient lus.

Il y a, certes, des prix attribués d'une autre manière, les uns par des juges rigoureux, les autres par des jurys de lecteurs chaque année différents, et leur succès croissant est sans doute le signe que certains comportements commençaient à éveiller la méfiance. Mais la prudence reste de mise à l'endroit de toutes les proclamations, sauf à considérer que la valeur d'un livre et la légitimité d'un prix littéraire se jugent sur l'état des ventes plutôt que sur le bouleversement que, lecture faite, le livre pourrait avoir apporté dans votre vie.

Après tout, mademoiselle Esperluette, il vaut mieux vous dire qu'un prix littéraire, ça ne fait pas plus le talent qu'une hirondelle ne fait le printemps.

ET LE SPECTACLE ?

Le doute vous tient malgré tout ? Vous pensez peut-être à ces divertissements truffés de bons conseils de lecture que sont les émissions littéraires, en particulier celles de la télévision ? Mais êtes-vous sûre de ne pas vous référer au souvenir de celles qui connurent leur temps de gloire quand, le vendredi, il n'était question ni de rendre visite à des amis, ni d'aller au spectacle, car ce soir-là Bernard Pivot tenait table d'hôte avec *Apostrophes*, et que, dès le lendemain, les vitrines et les tables des libraires étaient garnies avec les ouvrages de ses invités ? Ce fut longtemps une exception et une gloire françaises. Mais vous savez ce qu'il en est advenu de cette émission-là et d'autres : en vertu des règles incontournables de l'audimat, et malgré leur succès, elles ont dû céder leurs "tranches horaires" à des divertissements plus conformes aux exigences des publicitaires, ces plénipotentiaires qui ne consentent à insérer leurs "messages" que dans des émissions susceptibles de rassembler des millions de téléspectateurs devant leur écran !

"Réveillez-vous, m'a dit un jeune loup de la communication. Un match de foot rassemble en un soir, dans un stade, plus de gens que vous ne pouvez espérer de lecteurs dans les mois qui suivent la sortie d'un livre. Vous et moi, nous ne jouons pas dans la même catégorie." Tu l'as dit, petit, ai-je pensé. Nous ne jouons pas dans la même catégorie. Ni dans le même stade. Dieu nous en préserve !

Tenez, l'autre soir, un vieux professeur insomniaque m'a téléphoné pour me dire le plaisir qu'il avait eu de me voir et de m'entendre à la télévision… à cinq heures du matin. En effet, j'avais été invité par Philippe Lefait, en compagnie d'Emmanuelle Laborit, Daniel Mesguich et quelques autres, pour l'enregistrement d'une émission intitulée *Des mots de minuit*. Minuit ? Euphémisme ! La première diffusion avait eu lieu, quelques jours plus tard, à une heure trente, et la seconde, le jour suivant, à quatre heures trente. Du matin, bien entendu. Ainsi, me suis-je dit, de telles émissions, qui, si peu que ce fût, auraient pu compenser l'inflation d'inculture et de sottise déclenchée par le pouvoir des annonceurs et de leurs bouffons, sont désormais réservées aux insomniaques et aux obstinés qui branchent leurs magnétoscopes.

A signaler, tout de même, oui, sans doute alliez-vous me le dire, la radio qui résiste mieux parce qu'elle subit moins de pression commerciale, et parce que, à des heures où l'on est nombreux à l'écouter, elle propose des billets, des chroniques, des débats si intéressants qu'à leur suite il m'est arrivé de me précipiter chez mon libraire.

Au train où vont les choses, pour la radio comme pour la télévision, je redoute cependant des dérives, telle l'introduction de messages commerciaux là où on ne les attend pas, à la façon de ce que l'on appelait jadis la publicité invisible et aujourd'hui : subliminale. Ou encore cette manière qu'a parfois la fiction télévisuelle de donner, aux livres qu'elle adapte, une orientation dominée par l'angoisse du taux d'écoute. Et déjà certains auteurs, attentifs à la tendance, orientent leurs livres dans ce sens. Ils se tournent vers La Mecque du profit et s'inclinent.

Et si, après tout, ce que l'on appelle "la crise du livre" était d'abord une crise de la communication ?

Juste en passant, et pour motiver mon propos, légitimer mes caprices et expliquer mon humeur, mademoiselle Esperluette, voici peut-être le moment de vous avouer combien, à certains moments, je suis exaspéré par l'optimisme de ceux qui prétendent opposer une nature généreuse et confiante aux idées noires des défaitistes et à leurs apocalypses vaticinées. Souvent, je vous le dis, dans les délibérations, les colères, les dénigrements et les inquiétudes de ces défaitistes-là, j'ai trouvé plus de raisons de m'attarder et plus d'occasions de m'instruire que je n'en ai débusqué dans le catéchisme des autres et dans leurs obsessions sermonneuses qui fournissent une justification si opportune aux célébrations de l'avoir et du consommable.

Dans le pessimisme, il n'est pas rare de percevoir les protestations et tourments d'une angoisse existentielle là où, chez nombre de leurs contempteurs, à l'avers on trouve satisfaction béate, morgue exclamative, et au revers : soupçons et menaces voilés, principes mêmes d'une société du spectacle et de la consommation. Oui, c'est tout réfléchi, ma chère, au pessimisme que m'inspirent la complaisance et l'aveuglement des optimistes proclamés, je préfère l'optimisme des idées et graines d'idées que j'ai trouvées dans les tiroirs du pessimisme. Après tout, dans l'histoire littéraire, combien de chefs-d'œuvre ne sont-ils pas nés de ce mal-être !

Condorcet disait que "toute société qui n'est pas éclairée par des philosophes est trompée par des charlatans[31]". Eh bien, voyez : notre société est infiltrée par des publicitaires qui se donnent des airs de philosophes, et elle est bernée par des philosophes qui ont des pratiques de publicitaires. Elle est ainsi abusée par des charlatans qui nous assiègent à chaque instant de notre vie avec des idées reçues et des citations détournées, avec des formules magiques, avec des potions aphrodisiaques, prometteuses de puissance, avec la tentation de millions qu'ils prennent dans la poche des uns pour les mettre dans celle des autres (petits prélèvements au passage), et avec leurs fameux "logos". Et dans les boniments de ces gens-là, les livres ne sont pas séparés du reste. Voyages, cuisine, amour, cuissage, mariages et enterrements, tout est mêlé et prêt à porter, à entamer ou à consommer.

D'ailleurs, prenez garde, mademoiselle Esperluette ! Ces charlatans n'ont pas raison mais ils ne sont pas bêtes, ils sont même dangereux. Ils connaissent l'efficacité de la contamination. Ils savent que si la lecture occupe un quartier dans votre vie, elle n'occupe pas toute la place. Avec la routine, avec les habitudes qui vous sont venues, avec (pardonnez-moi) les plis que vous avez pris, et avec le tintamarre qui vous entoure, ce que vous acceptez là, il y a peu de chance que vous le refusiez ici. Et ils y comptent…

Pour sauvegarder vos plaisirs de lectrice, vous avez donc intérêt à demeurer vigilante. Les bonnes lectures, celles que nous n'oublierons pas, souvent procèdent de nos révoltes.

ET SI NOUS NOUS COMPTIONS ?

C'est indéniable, la lecture est un privilège qui devrait être accessible à tous. Mais au terme d'une journée qui, par ses traits de lumière, m'a donné la dangereuse illusion que le printemps était proche alors que l'on nous annonce un retour de bâton de l'hiver, il me paraît tout à coup important de vous le dire : il serait aussi naïf de prendre le lectorat potentiel pour une gigantesque assemblée de catéchumènes (qu'il suffirait de baptiser dans les eaux de la littérature pour les convertir à la lecture), que cynique ou scandaleux d'y voir une réserve d'Indiens que l'on pourrait, au prix de quelques promotions, transformer en dociles "consommateurs".

Les livres auxquels nous sommes tellement attachés, mademoiselle Esperluette, ne sont pas des livres pour tous. On aurait beau les offrir, ils n'auraient pas beaucoup plus de lecteurs qu'ils n'en ont déjà. Car il ne suffit pas de savoir lire pour pouvoir lire. Afin de parer la bastonnade, j'aurais dû revêtir heaume et armure pour dire cela, mais je persiste à le prétendre et à le répéter : si l'on n'y a pas été préparé par une éducation, qu'elle fût particulière ou sociale, on ne peut trouver dans la lecture que déception et, pire, graines d'hostilité. Donner à lire à qui ne sait pas lire revient à le détourner pour longtemps des livres, sinon à jamais.

Elle me turlupine d'ailleurs, cette idée qu'en manipulant des chiffres avec légèreté ou désinvolture on entretient des idées fausses ou approximatives sur la nation des lecteurs, et sur son comportement. Et je me dis que si l'on se décidait à entreprendre une étude sérieuse de la lecture, en remontant aussi loin que les archives et les informations le permettent, il ne serait pas surprenant que l'on découvrît une grande régularité, une sorte d'égalité ou, si vous préférez, une manière d'invariabilité dans le pourcentage de lecteurs issus d'une population en capacité de lire, ayant les moyens de le faire et qui auraient reçu les encouragements nécessaires. Si les lecteurs sont aujourd'hui plus nombreux qu'au XIXe siècle, c'est parce que, parmi d'autres conquêtes sociales, l'instruction obligatoire a été instaurée, qui a ainsi augmenté le "public potentiel". Au terme de l'étude que je suggère on verrait cependant, j'en jurerais, que le pourcentage de lecteurs mus par une volonté ou par un désir personnels ne serait pas, lui, très différent. Qui voudrait le faire progresser, ce pourcentage, ne pourrait se tourner que vers ces instances insaisissables, mouvements d'opinion et conversions sociales qu'on attend comme le messie, toujours en vain, ou espérer l'imprévisible lame de fond qui conduirait la société à bouleverser l'ordre de ses priorités.

On veut toujours plus de lecteurs ? Non pas pour satisfaire des ambitions commerciales, mais pour la bonne cause ? Quoi de plus légitime si l'on croit vraiment à la nécessité de déployer la capacité de réflexion et la clairvoyance des citoyens. Mais alors, il faut commencer par accorder plus d'éducation, meilleur enseignement, favoriser une disposition à un tout autre "art de vivre", et ne jamais confondre le faire-lire avec l'apprendre-à-lire, le déploiement de la lecture avec l'alphabétisation. C'est évidemment une perspective plutôt révolutionnaire. Songez aux bouleversements et aux renversements qu'elle entraînerait ! C'est comme si un parti politique allait, tête haute, à une défaite électorale annoncée en proposant beaucoup plus de livres et beaucoup moins d'autos...

BIBLIOTHÈQUES DE RÊVE

En attendant ces lendemains qui feraient grincer des dents, restons présents au présent. Tenez, un souvenir d'enfance me revient... J'avais l'âge des premières lectures, celles qui sont à la fois impatientes et inquiètes. J'avais emprunté à la bibliothèque publique (publique ou communale, que disait-on à l'époque ?) le premier tome de *Sans famille* d'Hector Malot, le premier seulement car on n'était pas autorisé à emporter plus d'un volume à la fois. C'était un jeudi, jour où l'après-midi était de congé. J'avais dévoré le livre en quelques heures. Le lendemain soir, haletant, je me suis précipité à la bibliothèque pour obtenir le second volume. J'étais dans l'impatience et l'effroi. Vitalis était en prison et Rémi n'avait que trois sous en poche. Qu'allait-il donc leur arriver ? Je me souviens, c'était un vendredi, après la classe, vers cinq heures, et la bibliothèque venait de fermer. Par l'horaire affiché sur la porte, je compris qu'il me faudrait attendre jusqu'au lundi. L'idée de passer deux jours sans connaître la suite des aventures de Rémi et du signor Vitalis me mit dans une anxiété sans borne et dans une colère aveugle, je suppliai mes parents de faire rouvrir la bibliothèque, d'en appeler à la police si c'était nécessaire, et il me semble aujourd'hui que leur refus, ou leur impuissance à le faire, fut un des premiers signes de la désillusion au fil de laquelle, inévitablement, les enfants découvrent que père et mère ne sont ni parfaits ni infaillibles… C'est un peu ce qui se passe avec nos institutions, non ?

Jugez-en. Un demi-siècle plus tard je fus amené, en ma qualité d'éditeur, à écrire au ministre de la Culture une épître pour insister sur l'attention très particulière qu'il convenait d'apporter au sort des bibliothèques publiques. Encouragé secrètement par le souvenir de Vitalis et de Rémi, je fis valoir au ministre l'absurdité qui consistait à prétendre favoriser la lecture mais à fermer les portes des bibliothèques à l'heure où ceux qui avaient intérêt à les fréquenter sortaient tout juste de leurs écoles, de leurs bureaux, de leurs usines. Et je lui suggérai d'aligner les horaires des bibliothèques publiques sur celles des boîtes de nuit. Le propos était outré à dessein, c'était pour forcer l'attention. (En vain, soit dit en passant.) La description des lieux que j'imaginais m'est restée très présente : des bibliothèques aux façades illuminées et aux portes ouvertes jusque tard dans la nuit, où l'on pourrait consulter les livres sous des lampes aux abat-jour verts, poser des questions sans souffrir de paraître ignorant, demander conseil à des bibliothécaires qui, par leurs réponses et commentaires, ne donneraient pas l'impression de perdre leur temps, et peut-être entendre, presque en sourdine (même si cela fait penser à la "musique d'ameublement" dont parle Satie), les *Variations Goldberg* de Bach ou le saxophone de Dexter Gordon dans *The Shadow of Your Smile*.

EN SOUVENIR DE PAUL LÉAUTAUD

Et puis, basta, si nous abandonnions un instant ce cahier de doléances, les bibliothèques à leurs horaires, les livres à leur sort, la lecture à son destin, et si nous dansions ce soir, vous et moi, mademoiselle

Esperluette, sur l'air de cette utopie-là ? Vous le savez bien, point d'amour sans utopie...

Eh oui, mais que voit-on ? Peu d'amour, et d'utopie, point ! Non, ce que l'on voit, c'est que l'Etat, de même qu'il autorise la fermeture des bibliothèques à des heures ridiculement inadéquates, laisse mettre l'éducation scolaire sous la tutelle de la télévision et de son maudit audimat. Sur ses propres chaînes, on le voit consentir sans broncher à la relégation, à des heures nocturnes ou de petite écoute, de programmes éducatifs qui ne sont pourtant pas plus rébarbatifs et souvent même sont aussi passionnants que les cours de professeurs aimant leur métier. Et pourquoi cette relégation ? Parce que l'on attend de la manne publicitaire l'argent nécessaire au fonctionnement d'une machine à décerveler qui ne sert en fin de compte qu'à s'autoproclamer et ne suscite d'autres besoins que ceux qu'elle crée par la réitération.

On voit de même la manifestation d'une frénésie indécente et d'ambitions ridicules conduire certains éditeurs, non des moindres – et avec eux les distributeurs qui de plus en plus souvent les gouvernent dans la "dérégulation" du libéralisme –, à décréter qu'un livre n'est bon que s'il atteint d'entrée de jeu des résultats commerciaux dont la barre est fixée très haut. Et à ne soutenir que ceux-là, en laissant les autres dans une ombre qui d'avance les condamne au silence, à l'oubli. C'est là une justice aussi distributive que celle qui faisait dire, au temps de la "nouvelle frontière", qu'il n'y a de bons Indiens que les Indiens morts.

Je crois me souvenir que Paul Léautaud, quelque part dans son journal, raconte qu'au Mercure de France, dans les années vingt, on sablait le champagne pour célébrer le succès d'un livre au cinq centième exemplaire vendu. Aujourd'hui un livre arrivant à ce niveau ferait ricaner, il serait désigné par les matadors de l'édition comme un bide innommable ou un four scandaleux, le solde du tirage irait sans retard au pilon et le responsable au chômage.

Mais si l'on espère voir apparaître encore de ces auteurs qui, entrés par la petite porte, ont fini par occuper une place dans notre panthéon littéraire – comme Gadenne ou Gaddis, pour n'en citer que deux, fort éloignés l'un de l'autre, dont les noms, dans ma mémoire de lecteur, sont attelés Dieu sait pourquoi sinon parce qu'ils ont l'un et l'autre la réputation d'être réservés aux happy few –, nous devons savoir que le risque de les attendre en vain, désormais, trouve origine dans l'ogritude économique d'un monde dont les états d'âme sont plus sensibles aux cotes boursières qu'aux éblouissements littéraires.

Hélas, c'est ainsi, chère amie. Pour les affairistes qui, petit à petit, mettent la main sur l'industrie de l'édition, et pour les négociants qui la gouvernent, la question de la création littéraire compte moins que celle d'un lectorat considéré comme un marché qu'il importe d'affourcher et d'exploiter. Et je crains qu'à la faveur ou à l'exemple des vagues d'anti-intellectualisme qui, par les temps qui courent, déferlent sur nos plages dans une marée sans cesse montante il ne faille plus attendre très longtemps pour que les colonisateurs de l'édition soient tous délivrés du sentiment de culpabilité qu'inspirent encore à certains d'entre eux les origines culturelles de leur activité.

Dans la crainte que les récoltes financières ne soient pas à la hauteur de leurs sacro-saints investissements, ne les voit-on pas déjà tout occupés à conjoindre des activités multiples – radio, télévision, cinéma, presse, portails internet, etc. – dans des consortiums qui ne cachent pas leur ambition : le profit, source unique de l'énergie collective ! Quitte à jeter, en cours de route, celles de ces entreprises qui soudain, en femmes stériles, les déçoivent ou les encombrent.

Tenez, voici un exemple d'une des premières, modestes encore mais déjà très significatives manifestations de la nouvelle conduite à tenir pour être dans la course...

OÙ EST PASSÉ LE PRIÈRE D'INSÉRER ?

Il fut un temps où les exemplaires d'un livre destinés à la presse partaient accompagnés d'un "prière d'insérer" (quitte à passer pour un ratiocineur, je vous le dis : un ou une, c'est à votre choix). Ce petit document exposait le sujet du livre et donnait des renseignements sur la personnalité de l'auteur, sur son œuvre. S'il n'était pas toujours d'un ton des plus modeste, au moins le prière d'insérer restait entre gens de métier. Rien n'obligeait le journaliste – et à plus forte raison s'il s'agissait d'un critique – d'en recopier les éléments, rien ne l'en empêchait non plus, le public n'était pas témoin. Puis, à l'initiative de quelques éditeurs entreprenants, résolus à en découdre et à choisir le chemin le plus court, on a pris l'habitude de faire figurer le prière d'insérer sur le dos du livre. Avec l'idée qu'il serait ainsi accessible à tous et compenserait les manquements de la critique.

Beaucoup y ont perdu toute pudeur dans le dithyrambe et le panégyrique. Passe encore si l'éloge avait alors manifesté le point de vue de l'éditeur et engagé ainsi sa responsabilité de lecteur. Non, au lieu de cela, la quatrième de couverture est devenue un territoire d'analyse sans critique, réservé à des éloges parfois bouffons qui donneraient à penser que le talent et le génie se ramassent à la pelle. La pratique est donc aujourd'hui générale qui vaut aux livres, les meilleurs comme les moins bons, d'entrer dans la course, tels des cyclistes engagés dans un critérium, avec un dossard. Dans l'esprit de ces éditeurs-là, de leurs servants, de leurs suiveurs, de leurs dopeurs, le livre est définitivement devenu un produit de compétition et, dans leurs registres, il est d'abord et au mieux une étiquette avec mode d'emploi et code-barre.

Je m'inquiète moins de la trivialité de ces promoteurs que de la turbulence qu'ils ont déclenchée. Vous souvenez-vous de la théorie dite de "l'effet papillon", telle que l'avait énoncée le météorologue Edward N. Lorenz ? A l'en croire, le battement d'aile d'un papillon en Asie pouvait provoquer un ouragan en Floride. Une aile de papillon ? Mais alors à quoi faut-il s'attendre quand l'impulsion est donnée par ces gens qui gâchent sans vergogne ce qui fut l'un des plus beaux et des plus nobles métiers du monde...

Voyez à quoi tient aujourd'hui la chance qu'a un manuscrit d'être publié, un livre d'être traduit, ou une œuvre oubliée d'être reprise... A l'exception de quelques éditeurs qui déjà font figure d'ancêtres, pour la plupart cette chance tient moins au sens, à la valeur, à l'autorité ou à la nécessité inscrite dans les pages du livre qu'à sa capacité de franchir en peu, très peu de temps, un seuil de ventes dont l'évaluation n'a cessé de croître en fonction des "nécessités" commerciales et des exigences financières. D'ailleurs, dès qu'un auteur répond à de telles espérances, commence la valse boursière des à-valoir, ces acomptes qui peuvent atteindre des sommets rappelant les cachets mirobolants de certaines vedettes, et faire l'objet, à la Foire de Francfort ou ailleurs, d'enchères et de surenchères. C'est aussi dans de telles circonstances qu'un éditeur avisé, qui avait découvert un auteur et l'avait fait connaître au prix d'efforts coûteux, peut se le faire ratiboiser par un confrère au portefeuille bien garni qui, calculs faits, signe un chèque au vu duquel la fidélité n'a plus beaucoup de sens.

Bref, mademoiselle Esperluette, en vieil irréduc-
tible, je tiens que la pratique éditoriale, dans ses
prétentions commerciales, n'aurait jamais dû viser
plus haut que ses fesses. A le faire – et Dieu sait
qu'elle l'a fait –, elle a déclenché des joutes mer-
cantiles en comparaison desquelles les jalousies
littéraires et les controverses des écoles ou des cha-
pelles ne sont que roupie de sansonnet. Les défis
ne sont plus de l'ordre du talent mais de celui des
ventes. Et l'importance des auteurs se mesure désormais au nombre de zéros dans le chiffre de leurs
tirages.

   Ainsi en est-on venu à la conclusion que la
conversion des éditeurs à l'économie de marché et
la participation de groupes financiers à leurs entreprises avaient permis de donner à l'édition un nouvel essor. Les statistiques montrent en effet que,
sous cette impulsion, la vente de livres avait pro-
gressé. Mais je vous le demande, des best-sellers
comme les Mémoires de Brigitte Bardot, le réquisi-
toire éploré de Nadine Trintignant ou les Mémoires
de Bill Clinton, qu'ont-ils à voir avec les œuvres
auxquelles nous pensons quand nous parlons, vous
et moi, de nos livres de chevet ?

   Et d'ailleurs quand on regarde du côté des romans,
puisque c'est d'eux que, pour l'essentiel, il est ici
question, on observe à quelques exceptions près
qu'ils ont désormais moins de lecteurs malgré les

paris qui sont pris sur certains d'entre eux. C'est que, par un effet pervers, ces lecteurs s'éparpillent, se dispersent, et se perdent entre les offres inégales et sans cesse multipliées qui leur sont faites. On ne peut même plus dire que les gros calibres permettent de compenser les pertes des livres pudiquement désignés comme difficiles ou confidentiels. Cette pratique caritative a presque complètement disparu avec la comptabilité analytique qui est régulièrement mise sous le nez des actionnaires comme, au temps de la Terreur, les listes de condamnables, d'avance condamnés, étaient déposées sur le bureau du tribunal révolutionnaire.

MOI AUSSI, J'AI FAIT UN RÊVE

En ouvrant *Le monde*, l'autre jour, j'ai appris que Frances Partridge venait de mourir, à l'âge de cent trois ans. Ecrivain et libraire, elle avait participé à la vie littéraire de son temps et elle était le dernier membre survivant de ce petit cercle d'intellectuels qu'on appela le "Bloomsbury Group" dont, par la lecture, j'ai fréquenté maints auteurs avec une gourmandise inquiète, à commencer par Virginia Woolf et Lytton Strachey, et dont souvent m'entretint Stephen Spender pendant que je traduisais ses *Journals*[32]. Et si j'en parle ici, mademoiselle Esperluette, c'est parce que, la nuit suivante, j'ai fait un rêve. Le rêve comme parabole, je sais, c'est à la mode, mais j'ai tout de même fait un rêve.

Et, dans ce rêve, je voyais de véritables écrivains, véritables artisans de la plume comme ceux de Bloomsbury, se regrouper chez de véritables éditeurs de littérature qui s'attachaient à rameuter de véritables lecteurs avec le concours de véritables libraires qui ne voulaient plus en rayons, ni en vitrine, les livres criards et inutiles qui les encombrent. Et le mot "véritable" avait dans mon rêve le sens vieilli que lui donne *Le Robert* : "Qui mérite l'assentiment, qui présente un caractère de vérité." Bref, et je prends le risque de la formulation, j'ai rêvé d'un joyeux apartheid, d'un monde où les marchands de papier imprimé feraient leurs affaires à leur gré, assouviraient leur avidité, se réjouiraient de leurs succès et s'arrangeraient de leurs cauchemars, tandis que, d'un autre côté, le nôtre, les amateurs de véritable littérature, éditeurs et libraires, avec les lecteurs pour supporters, se rassembleraient et, mettant la belle industrie à l'abri des mécanismes d'une distribution trop vorace et trop coûteuse pour eux, à l'abri aussi des financiers et des spéculateurs dont ils sont aujourd'hui les sujets quand ils n'en deviennent pas les jouets ou la danseuse, concevraient une diffusion à leur mesure.

Revenu de ce rêve, je vous assure qu'il en reste autre chose qu'une élucubration onirique, il en reste une soudaine envie de prononcer des vœux, comme on dit dans les ordres, et d'en faire d'autres qui seraient capables, à l'exemple du battement d'aile de papillon, de provoquer dans le paysage éditorial l'orage qui nous délivrerait de l'oppression marchande.

Vous cherchiez des signes qui vous feraient entrevoir ce que sera l'avenir du livre ? Eh bien, moi, mademoiselle Esperluette, je vous offre des vœux. C'est tout ce que je peux encore faire, mais, je vous le dis, pas n'importe quels vœux...

Dans les couloirs de la Communauté européenne, on parle du "principe de subsidiarité", dans les milieux culturels français on est prêt à s'étriper au nom de "l'exception culturelle". Dans l'un et l'autre cas, il est question de respecter et, autant que faire se peut, de préserver des valeurs essentielles, en particulier quand celles-ci sont menacées d'écrasement par les mesures générales. C'est là, voyez-vous, que mon rêve s'aboute avec la réalité. Car le premier de mes vœux est, en effet, pour souhaiter que des écrivains indifférents aux modes, des éditeurs affichant dans leur raison sociale ce qu'ils sont : éditeurs *littéraires*, et des libraires reconstituant des lieux de rencontre, tous ensemble, renoncent à gonfler le cou, prennent conscience qu'ils représentent à peine vingt pour cent du "marché" éditorial, et constatent la nécessité, dès lors, d'une nette partition dans ce qui ne peut plus être un même monde sous peine de renouveler la fable du pot de terre contre le pot de fer.

Eveillé, je rêve encore, mon amie, je rêve que, nous fondant sur les principes de subsidiarité et d'exception culturelle, tous ensemble, avec le soutien de lecteurs, nous établissions une nouvelle et modeste république des lettres où l'on renoncerait à la servitude que la mondialisation, si perfide avec ses airs de n'être pas indifférente à la culture, impose à ceux que séduisent ses mirages. Pourquoi, diable, accepterions-nous plus longtemps d'être comparés, dans nos accomplissements éditoriaux, avec les exploits d'un quidam dont on vient de me dire, avec un sourire en coin, qu'il a vendu ses livres de "psycho-pop" à quarante millions d'exemplaires ?

Et puis, pendant que je vous écrivais, mademoiselle Esperluette, je l'ai appris avec tristesse, Edmond Charlot est mort qui, avec des écrivains comme Jean Grenier, Albert Camus, Max-Pol Fouchet, Jean Amrouche, avait mené depuis Alger une aventure éditoriale mise en lumière par les événements de la guerre et fort proche de celle dont je viens de vous confier le rêve, mais aventure anéantie par les pièges financiers et qui s'est achevée par une petite activité de bouquinerie à Pézenas. Edmond Charlot laisse tout de même derrière lui une œuvre car tout catalogue d'éditeur de la qualité du sien est une œuvre.

L'espoir ne s'éteint jamais complètement. Déjà aux Etats-Unis – l'un des pays où les séismes éditoriaux sont les plus nombreux qui, à la faveur des reprises et regroupements financiers, passent aux yeux des "entrepreneurs" pour des crises salutaires –, on voit le rôle croissant que jouent des éditeurs universitaires et des *small press*, ces maisons fondées dans la modestie et la conviction. Et dans un numéro du *Nouvel observateur*, je lis ceci qu'a récemment déclaré l'éditeur américain André Schiffrin, comme s'il volait à mon secours : "Contrairement à ce qu'affirme la religion du marché, l'édition peut parfaitement vivre à un niveau artisanal. On oublie, dit-il encore, que les premiers livres de Brecht ou de Kafka ne se sont vendus qu'à six cents ou sept cents exemplaires[33] !" Ne vous l'avais-je déjà dit en citant Léautaud ? Reste alors à rappeler la profession de foi de Stendhal dans *De l'amour* : "Je n'écris que pour cent lecteurs."

RETOUR A NOS MOUTONS : LA LECTURE

Pour que les rêves se réalisent, il faut que soient réunies certaines conditions. Et dans le cas présent, la première va sans doute vous donner l'impression que du ciel tombe à vos pieds un gros truisme lâché par un impertinent oiseau. A savoir que l'on ne peut parler de la lecture et promouvoir le livre si l'on n'est soi-même un lecteur. Mais c'est moins évident qu'il n'y paraît, ma belle amie.

Du temps que j'étais éditeur à plein temps, j'ai reçu nombre de jeunes gens qui désiraient entrer dans le monde de l'édition. C'était, à les entendre, un monde fascinant où ils voulaient faire carrière et où il leur fallait venir, par impérieuse vocation, toutes affaires cessantes. Pour appuyer la candidature qu'ils me présentaient, ils alignaient des diplômes, quelques expériences vécues et, souvent, des éloges formulés par des gens de leur connaissance qui avaient quelque notoriété dans le monde de l'édition et prétendaient leur avoir trouvé des dispositions. J'avais pour habitude de dire que je serais attentif à ces références mais que je voulais d'abord savoir quel livre le candidat qui s'exprimait avec un tel vouloir était en train de lire. Par cette question inattendue, je provoquais de l'embarras... C'est que cette semaine-là, précisément cette semaine-là, il y avait eu fort à faire, et que... Oui, très bien, je comprenais cela, mais que lisait-il la semaine d'avant ? "Attendez, disait-il d'un air soucieux, en portant la main au front, attendez que je me souvienne..." Je découvrais ainsi, et lui avec moi, qu'il ne lisait pas vraiment, ou si peu. Je lui suggérais donc d'exercer un métier qui correspondrait mieux aux intérêts qu'il avait dans la vie. Et pour ne pas le malmener en l'éconduisant, je m'abstenais de lui citer le mot qui est, je crois, de Duhamel et qui résumait pourtant toute ma recette : "Dis-moi ce que tu lis et je te dirai qui tu es."

Voilà donc l'une de ces évidences dont Paulhan, paraît-il, se plaisait à souligner qu'il est dans leur nature de passer inaperçues... Oui, mademoiselle, pour inviter les gens à lire, mieux vaut être soi-même lecteur, grand lecteur – un liseur, comme disait Mme de Sévigné. Et même un liseur heureux car n'est pas bon lecteur le lecteur asservi. J'en sais quelque chose...

Quand vous tombe sur les bras, comme je vous l'ai dit, une trentaine de manuscrits par jour, dont il vous faut tout de même lire quelques-uns désignés par des défricheurs engagés à cet effet, quand il importe que, des livres que vous avez choisi de publier, vous relisiez les épreuves – et d'abord, dans certains cas, les traductions –, quand, de surcroît, il vous faut lire ce qui paraît aux vitrines des librairies afin de savoir sur quel champ de bataille vous envoyez les auteurs que vous éditez, quand vous êtes requis, sous peine d'incivilité, de lire aussi les livres que des amis et des relations ont écrits et vous envoient, et si par obstination vous voulez lire ou relire des livres plus anciens qui vous sont essentiels, la quadrature du cercle est atteinte.

Des éditeurs mis dans cette situation, les uns se sont fait une philosophie, ils ont choisi de ne lire que ce qu'ils veulent, quand ils le peuvent, et comme Selma Lagerlöf ou Paul Valéry ils ne "coupent" pas toutes les pages. D'autres lisent par procuration et, à l'exemple de certains animateurs d'émissions littéraires, ils se contentent des fiches qu'on leur prépare. Et puis il y a ceux qui lisent tant et si vite que leur regard s'émousse, leur curiosité s'éteint, et ce qu'ils lisent alors n'est plus ce qu'ils auraient lu dans des circonstances normales.

Si vous songez, belle Esperluette, qu'à cette contrainte, fille de pléthore, ce ne sont pas seulement les éditeurs qui sont soumis, mais aussi les critiques et les libraires, vous pouvez vous réjouir de la chance que vous avez d'être une lectrice indépendante.

Vous n'êtes tributaire, vous, que de votre plaisir, de vos désirs. Aussi, en passant, acceptez un conseil : dans la crainte (si vaine) de n'être pas au fait de l'actualité, ne vous avisez pas de vous transformer en dévoratrice sans mesure. Le bon Jules Renard disait que chaque lecture "laisse une graine qui germe". Accordez à ces graines le temps de germer, de fleurir. Bien lire n'est pas trop lire, c'est encore moins lire par force.

Pour ma part, sur les manuscrits que je confiais à ces lecteurs-défricheurs auxquels je faisais allusion, j'ai souvent inscrit au crayon : "lecture jusqu'à…" Ils savaient, par l'habitude que je leur en avais donnée, que d'une note expliquant pour quels motifs ils avaient interrompu leur lecture je ferais plus de cas que d'un compte rendu hanté par le déplaisir d'avoir dû lire jusqu'à la lie un texte devenu haïssable. Sans une pointe de gourmandise, et surtout sans désir, la lecture devient un pensum.

Et là-dessus, revenons aux lectures de l'éditeur… D'évidence, il n'est pas toujours en situation de lire tout ce qui lui est proposé, en particulier quand le texte est écrit dans une langue qu'il ne connaît pas. C'est pourquoi je m'en vais vous raconter un voyage à Stockholm.

Dans l'avion, ce jour-là, j'avais pour voisine une de ces femmes qui sont reines à un âge où d'autres pensent être déjà en fin de règne. Elle était belle et imposante comme je vous souhaite de l'être quand vous aurez son âge, elle était assise très droite, en cavalière, et elle lisait, sans jamais lever les yeux du livre qu'elle tenait bien ouvert devant elle. Il venait de sa lecture une sorte de contention d'esprit si perceptible que je n'ai pas résisté, j'ai incliné la tête et j'ai pu déchiffrer sur la couverture un titre suédois : *Juloratoriet*, qui signifie *Oratorio de Noël*. Ayant surpris mon manège, la lectrice que le hasard m'avait donnée pour voisine a tourné la tête et, dans un français qu'elle maîtrisait parfaitement, elle s'est mise à me parler de cet *Oratorio de Noël* et de Göran Tunström, un auteur dont elle m'apprit qu'il était encore peu connu en Suède, mais qu'il était sur le point de...

Ah, mademoiselle Esperluette, quel festival fut ce plaidoyer ! Touché par les émotions de cette lectrice, confondu par sa maîtrise comparatiste, ébloui par tant d'intelligence et de sensibilité, il me parut impossible qu'un livre médiocre ou ordinaire eût suscité des commentaires si nuancés, si ravissants, si chaleureux et en même temps si rigoureux et si persuasifs. Tant et si bien qu'arrivé à Stockholm, avant même d'aller à l'hôtel, je courus à la maison d'édition qui publiait ce Göran Tunström, afin de réserver les droits d'un auteur sans avoir jamais rien lu de lui. Simplement sur la foi et le témoignage d'une passagère.

Göran Tunström s'est avéré l'un des écrivains les plus importants que nous ayons publiés, mes associés et moi. Et jusqu'à sa mort ses livres sont entrés l'un après l'autre dans notre catalogue. Ils en sont encore aujourd'hui l'un des fleurons.

Je vous avais promis d'y venir. La rencontre d'une lectrice dans l'avion de Stockholm me l'a rappelé. Ce matin, reprenant ma lettre, je viens par conséquent à la question : et les femmes dans tout ça ? Sur le ton où il arrivait à Jacques Chancel, en ses inoubliables *Radioscopies*, de lancer à l'un de ses invités empêtré dans ses propos : "Et Dieu dans tout ça ?"

Les femmes dans tout ça ? Et Dieu ? A mes yeux, une question vaut bien l'autre. Mais si j'y viens, c'est avec, je vous l'avoue, l'incommodité qui résulte de mon refus de certaines prescriptions désignées comme "politiquement correctes". Sachez donc que, toutes les fois où, dans mes lettres, il est question de lecteurs et d'auteurs, j'entends désigner par ces masculins les lectrices autant que les lecteurs, et les "écrivaines" autant que les écrivains. Sans me sentir tenu à l'usage introduit par de Gaulle avec ses "Françaises, Français", dont Arlette Laguiller a fait une version quasiment comique en martelant ses "Travailleuses, travailleurs" sur le xylophone électoral. Pourquoi, diable, oublier que le masculin n'est pas seulement un genre, qu'il est aussi le générique d'une espèce, et par cela vous appartient autant qu'à nous ? Après tout, mademoiselle Esperluette, si je vous dis que vous êtes la plus merveilleuse des lectrices, le parfum n'est pas aussi fort, convenez-en, que si je vous sacre le plus merveilleux lecteur qui soit. Car, dans ce cas, vous frissonnerez peut-être de vous savoir merveilleuse entre tous, hommes et femmes confondus.

Dans ma pratique d'éditeur, soucieux du rôle et de la part des femmes, j'avais été très tôt attentif à la manière dont mes respectables confrères parisiens, dans leurs communiqués, argumentaires et autres quatrièmes de couverture avaient l'art de sous-entendre ou de souligner discrètement le mérite d'être femme quand ils en publiaient une. Puis, voyant croître le nombre de femmes dans les catalogues de l'édition, je me suis dit que le moment ne tarderait pas où il conviendrait que nos Germano-pratins, pour rétablir l'équilibre, s'attachent à souligner le mérite d'être… homme. "La petite troupe des femmes auteurs se faisant de plus en plus nombreuse, verrons-nous quelque jour s'instaurer l'élection d'une Miss littérature ?" demandait avec un peu de fiel José Corti en 1983[34]. On n'en est pas venu là, certes. Mais impressionnante est tout de même la part que les femmes se sont taillée en quelques décennies dans tous les genres littéraires : roman, poésie, essais, théâtre…

Rassurez-vous, dans la lettre qu'avec un quotidien plaisir je vous écris, je ne vais pas me payer le ridicule d'une dissertation sur le féminisme, ni chercher vos faveurs par un cours d'histoire en vous rappelant par exemple que Julie Daubié fut en 1861 la première bachelière de France, que trente-six ans plus tard la duchesse d'Uzès fut la première titulaire du permis de conduire, et en 1903 Marie

Curie la première Française prix Nobel. D'ailleurs, qui fut la première lectrice, je n'en sais fichtre rien, et tout juste m'aventurerais-je à prédire que s'il faut un jour désigner le dernier lecteur demeuré, livre ouvert, sur la passerelle d'une bibliothèque, comme le capitaine Edward J. Smith sur le pont du *Titanic*, il y a fort à parier qu'il s'agira d'une lectrice.

Encore moins m'attarderai-je sur cette "Déclaration des droits de l'homme" pour laquelle je me suis un jour fait prendre à partie par une libraire de Montréal, une féministe de choc qui m'accusait de félonie parce que je ne lui promettais pas sur-le-champ d'initier une pétition exigeant des autorités de mon pays que, dans le titre et dès le premier article de ladite Déclaration, il fût désormais reconnu que "*les femmes comme* les hommes naissent et demeurent libres et éga(les) en droits". Non, je veux seulement vous dire que, dans cette émergence des femmes écrivaines, auteures ou autoresses (s'il plaît à ma québécoise libraire d'ainsi les appeler), je vois avant tout une intéressante coïncidence avec l'augmentation du nombre des lectrices. Un même mouvement ascendant aurait donc porté les unes à écrire, les autres à lire.

Mais c'est de la lecture qu'il est ici question, et je veux vous préciser, car c'est assez lourd de conséquences pour l'avenir de la lecture, ce que je crois que Pascal Lainé avait en tête quand il assurait que les femmes sont "les *véritables* lectrices". Il voulait dire – et je le confirme d'expérience – que ce sont elles qui comptent aujourd'hui dans leurs rangs le plus grand nombre de lecteurs "actifs". Entendez par là des lecteurs qui, non contents de découvrir des œuvres et de lire des livres, éprouvent le besoin d'y faire écho, et ont plaisir à en parler.

Pour autant qu'en nos propos il soit essentiellement question de littérature, et essentiellement de littérature romanesque, l'impression m'est donc insidieusement venue que les hommes, eux, étaient peu à peu gagnés par l'idée, vieille de quelques siècles mais par je ne sais quelles voies revenue (sinon par celles de la société marchande dans laquelle la lecture est le fait des oisifs et des retraités), que le roman s'apparentait au tricot, à la tapisserie, comme la poésie à la broderie, et qu'il valait donc mieux, en bon phallocrate, ne pas trop s'en prévaloir.

Dites-moi, mademoiselle Esperluette, vous est-il arrivé déjà d'écouter les commentaires auxquels se livrent des excursionnistes postés à un point de vue d'où ils admirent un paysage ? Moi, j'ai souvent été frappé par ceci que les hommes alors dressent un catalogue, désignent ce qu'ils reconnaissent ou ce qu'ils peuvent nommer, tout en évitant de s'attarder à ce qui échappe à leurs connaissances ou à leur capacité interrogative. Comme Procuste, ils coupent ce qui dépasse, tandis que les femmes, elles, tentent d'exprimer des émotions sans catégories, cherchant à saisir dans sa totalité le spectacle qui leur est offert. Eh bien, ma chère, il m'a semblé qu'il en allait souvent de même dans les commentaires de lecture. Analyse, découpage et instruction d'un côté, absorption et restitution effusive de l'autre.

Or, si vous voulez bien vous rappeler que le sort de la lecture dépend, pour une part importante, de la capacité et du désir des lecteurs de partager leurs découvertes, vous comprendrez que le sort du livre et l'avenir de la lecture sont aujourd'hui, pour une grande part, tributaires des femmes comme vous qui, d'évidence, vous montrez les plus "actives". Comme si le partage de vos intérêts culturels vous paraissait plus naturel et plus sérieux qu'il n'apparaît aux hommes. Comme si votre croyance dans la nécessité de la lecture n'était pas, chez vous, embarrassée, réduite, entravée par la méfiance spéculative que manifestent aujourd'hui tant d'hommes. Au vu de quoi l'on peut penser que si vous, les lectrices, vous veniez à vous retirer de l'arène, il ne resterait aux éditeurs qu'à fermer leurs portes et à prendre leur retraite.

Un temps viendra-t-il où la lecture romanesque retrouvant crédit à leurs yeux, les hommes reprendront la place qu'ils ont cédée et, sans la confisquer, la partageront avec les femmes ? L'optimisme n'est pas d'actualité dans une société où les symboles de la virilité et les codes de la féminité sont en pleine mutation, où les scientifiques appelés à la rescousse se demandent si ce n'est pas, en fin de compte, la faute au sperme dont la qualité serait en baisse[35]. Voyez, mademoiselle Esperluette, à quelles élucubrations peut mener l'inquiétude que vous inspire l'avenir de la lecture…

Un temps viendra-t-il… Je vous laissais hier dans cette interrogation, et c'est dépourvu de réponse que je reviens à vous ce matin. Mais une fois encore, je vous le demande, comment voulez-vous que je vous prédise l'évolution de la lecture, et en particulier le devenir de cette vieille habitude, parfois si anachronique que nous avons, vous et moi, de suspendre le temps pour n'être présents qu'au livre, à son contenu, et à la jouissance qu'il nous procure, comment voulez-vous que j'anticipe le déploiement ou le déclin de notre *jockey-club*, de son confort et de son luxe, quand la planète vacille sur son axe ?

La seule conviction que je puisse vous apporter est là, mademoiselle Esperluette : le futur de notre petit lectorat – si petit malgré les mirages que font entrevoir des best-sellers traversant le ciel éditorial comme des comètes dans une nuit d'été – dépend moins des mesures d'assistance que l'on pourrait prendre pour sa sauvegarde, ou des promotions éditoriales destinées à lui donner des vitamines, que du comportement de la société tout entière, et de son évolution.

Pour prendre la mesure des illusions que nous nous faisons quand nous nous croyons au centre du monde, il faut aller au centre de nulle part, voir et entendre, en éthologistes de notre espèce animale, ce qui se joue, se proclame, se commet dans nos campagnes, nos villes, nos cités et nos faubourgs, dans les cuisines et dans les chambres des familles où s'est éteinte l'autorité parentale, dans les écoles où l'enseignement des maîtres est contesté sinon éreinté par les perspectives qu'ouvrent les écrans des téléviseurs, des ordinateurs, des consoles et des téléphones portables, dans les couloirs et les escaliers des immeubles où se font et se défont les clans et se rallument les guerres de religion, dans les travées des supermarchés où s'affiche avec un joyeux mépris la suprématie marchande, dans les sex-shops où l'on cherche l'inspiration et dans les caves à tournantes où l'on passe à l'action, dans les ruches boursières et dans les conseils de surveillance où les chiffres ont réduit les lettres au silence, et aussi, plus loin de nous mais tout de même si près, dans les officines des terroristes et dans les états-majors des justiciers proclamés, dans les lieux où l'on passe de l'interrogatoire musclé à la torture, dans les régions où l'on érige des murs qu'en d'autres temps on a dit de la honte, et dans celles où "la misère chasse la pauvreté[36]".

Ne vous voilez pas les yeux, chère amie, ne vous couvrez pas les oreilles, prenez-en plutôt de la graine... Malgré les silencieuses controverses qu'au plus profond de votre for intérieur entretiennent la volonté de savoir et la complaisance à subir, cette multiple tourmente, croyez-moi, conditionnera – et conditionne déjà – la pratique de la lecture plus que les cierges que, dans nos différentes paroisses, nous pourrions allumer sur l'autel du livre. La lecture a toujours été le divertissement des privilégiés de notre espèce, le miel de l'érudit, le recours de quelques solitaires, et elle n'a connu de grandes passions collectives que chez ceux que la guerre ou l'oppression avaient jetés vers elle comme un ultime recours. En un mot comme en cent, la lecture, à l'image de l'écriture, ne peut être qu'une manifestation d'égotisme ou un acte de rébellion.

Il était temps que je vous le dise afin de me le rappeler car, comme vous, comme tous, j'ai tendance à me le dissimuler… La lecture sera ce qu'elle est déjà, le privilège d'un petit nombre, et elle ne peut espérer de grandes conquêtes si elle reste cette élégante et agréable passion de gens cultivés dont le destin, malgré des douleurs et des deuils, n'est pas laminé par la misère.

RETOUR AU CALME

Par la promesse que je vous avais faite aux premiers jours de l'hiver, mademoiselle Esperluette, je me sens tenu de revenir à notre petit monde à nous. Un monde qui n'a rien de méprisable pourvu que nous soyons conscients de l'étroitesse de son arène. Or, même dans ce monde-là, il me semble que s'est engagé une sorte de tournoi perfide et insidieux entre la volonté d'une société mercantile qui réduirait volontiers les écrivains à la célébration ou au silence, et la capacité de ces écrivains à se reprendre, à s'insurger, à rattraper, à bousculer le cours des événements.

Génuflecteurs ou prophètes ? Les paris sont ouverts. Un nouveau Rabelais, un double de Hugo, un autre Cervantès pourraient soudain, avec les mots pour outils, briser les chicanes de la complaisance et ouvrir une brèche où se précipiteraient des écrivains libérés des consignes, des complicités et des préjugés d'époque. Pour nous affranchir d'un monde servile, leurs romans le prendraient en flagrant délit dans leurs miroirs. Des tentatives sont visibles déjà mais rien n'est sûr encore…

Et je m'empresse d'ajouter ce que vous aviez déjà pressenti dans mes propos, à savoir qu'il n'est pas déraisonnable d'imaginer que, dans cet imprévisible aggiornamento, de nouvelles Aliénor d'Aquitaine (dont le nom me vient parce qu'au moment où je vous écris on célèbre le huitième centenaire de la mort de cette insoumise), de nouvelles Louise Labé, George Sand, George Eliot, Louise Michel, Colette et autres femmes, jouent de premiers rôles. Comme aussi cette Virginia Woolf, décidément incontournable, qui, dans son *Journal* en date du dimanche 3 décembre 1922 – Alberto Manguel me le rappelait ce matin – note : "Heinemanns nous a fait une offre très flatteuse – aux termes de laquelle nous aurions à livrer nos cerveaux et notre sang, et eux à veiller aux ventes et aux comptes. Mais nous, nous flairons la combine. S'ils y gagnent, nous y perdons."

Pendant que j'évoquais la présence de plus en plus visible des femmes dans les catalogues d'éditeurs et le nombre de plus en plus grand de lectrices dans les rangs du lectorat, mademoiselle Esperluette, une métaphore m'est revenue qui fut souvent proposée, jadis, et qui paraît aujourd'hui négligée – peut-être dans la crainte du sentimentalisme au registre des idées. Cette métaphore comparait le livre à un enfant conçu, porté et mis au monde. "Quand on a quelque chose dans le ventre, disait Flaubert, on ne meurt pas avant d'avoir accouché." Et Simone Weil : "On écrit comme on accouche." Ou encore Harold Pinter : "Cet accouchement au bout de mes doigts[37]."

Et je m'interroge sur un possible détournement... Les hommes, à qui, dans l'affrontement des sexes, on fait sempiternellement observer que seules les femmes ont pouvoir de donner naissance, auraient cherché par la voie métaphorique à démontrer leur capacité de donner naissance, eux, à des œuvres, à des livres. Et de là viendrait le déni que nombre d'entre eux opposent à la capacité créatrice des femmes. Une équation toute simple : vous faites les enfants, mesdames, vous engendrez ; nous, nous faisons les livres, nous manifestons les idées, nous créons.

Cela peut, hélas, aller jusqu'à la détestable extrémité à laquelle se livra Albert Cohen, lui qui avait déjà déploré que les femmes fussent plus portées aux "babouineries" qu'à la création, quand, à Jacques Chancel lui opposant l'exemple de Marguerite Yourcenar, le vieil écrivain répondit : "Comment est-ce possible que cette femme-là, si laide, si grasse, puisse écrire[38] !"

La reconnaissance de la capacité créatrice des femmes n'est pas du seul ressort des auteurs, de leur mentalité, de leurs caprices et de… leurs éditeurs. Les lecteurs aussi y ont une part, et elle n'est pas mince. Parce qu'ils approuvent ou sanctionnent, s'attachent ou se détachent, encouragent ou freinent, ils amplifient les tendances ou les réduisent. Les lecteurs et vous, les lectrices en particulier, mademoiselle Esperluette, vous êtes capables, en certaines circonstances, d'exercer des poussées considérables sur les événements, les rumeurs et les opinions qui les portent. Je veux vous en donner pour exemple la singulière aventure que j'ai connue avec la découverte de Nina Berberova.

UNE CERTAINE NINA

L'octogénaire Nina, qui avait alors de l'énergie à revendre et une mémoire stupéfiante, je l'ai rencontrée pour la première fois en mai 1985, place Saint-Sulpice à Paris. Cette histoire et ses conséquences, je les ai racontées en long et en large car ce fut l'événement le plus important de ma carrière d'éditeur[39].

94

Bien qu'elle eût passé vingt-cinq années en France avant de s'exiler aux Etats-Unis, Nina Berberova était autant dire inconnue. Ce 30 mai 1985, assis en face d'elle au café de la Mairie, j'ai commencé à découvrir un incomparable témoin de son siècle, un écrivain dont l'œuvre était depuis vingt ans parachevée, entièrement écrite en russe, éditée par les presses confidentielles de l'immigration, et ignorée dans les autres langues. Ma décision, non seulement de la publier mais de la réhabiliter, fut prise sur-le-champ.

Dans les semaines et les mois qui suivirent la rencontre, il fallut élaborer une stratégie éditoriale. Nina Berberova avait écrit une autobiographie : *C'est moi qui souligne*[40], quelques essais et une longue série de "petits" romans – petits par le nombre de pages mais puissants par leur résonance. La logique, dans laquelle me poussaient les uns, voulait que je commence par publier *C'est moi qui souligne*, manière de dire : découvrons la personnalité de cette femme, après quoi nous montrerons ses romans comme autant de fruits portés par l'arbre que révèle la biographie. La logique, oui. Mais d'autres à qui je m'étais ouvert me soutenaient dans l'idée que mieux vaudrait sans doute piquer la curiosité des lecteurs, intéresser avant de convaincre, séduire comme je l'avais été moi-même en découvrant *L'accompagnatrice*. Bien me prit d'aller dans cette voie car ce récit, qui devait connaître d'innombrables traductions et même être porté à l'écran[41], fut un succès immédiat que je fis suivre

95

par d'autres "petits" romans, en restant sourd aux objurgations de certains critiques – comme Mme Nicole Zand qui, dans *Le monde*, n'hésitait pas à demander jusqu'à quand je m'obstinerais à publier Berberova "au compte-gouttes".

Et si je vous raconte cette aventure, mademoiselle Esperluette, c'est parce que le succès de cette Nina, qui n'y croyait plus (elle me l'a assez répété), vint d'abord des lectrices qui avaient pris fait et cause à la fois pour ses romans et pour l'injuste abandon où on l'avait laissée si longtemps. En quelques années elles lui firent une telle réputation que le nom de Berberova apparut bientôt dans le très symbolique *Petit Larousse*. Aussi, le jour où parut l'autobiographie – elle coiffait comme un dôme l'édifice construit avec les "petits" romans –, le prélat de la télévision littéraire, Bernard Pivot, qui m'avait auparavant opposé une fin de non-recevoir ("trop courts, ces petits romans", m'avait-il dit), organisa un somptueux plateau pour un *Apostrophes* qu'il avait avec bonheur intitulé "La fête à Nina".

Aujourd'hui, plus de dix ans après la mort de Berberova, alors que son œuvre continue de se répandre par le monde, je vois à des indices qui ne trompent pas quel rôle les lectrices comme vous ont joué et jouent encore dans ce "fabuleux destin". Et c'est pour moi le signe que du lectorat, et du lectorat féminin en premier, peuvent venir d'imprévisibles impulsions, capables de changer le cours des choses et de tirer vers la pleine lumière ce qui était dans l'ombre.

96

En 1965, dans l'épilogue d'un petit film que je fis avec lui, Max-Pol Fouchet demandait de sa voix huile et vinaigre s'il était "déraisonnable de penser que les femmes sauveront le monde". Le monde, cela reste à voir, me suis-je souvent répété, mais la lecture, oui…

UNE AFFAIRE DE TEMPS

Cette nuit, mademoiselle Esperluette, par le truchement d'un rêve vous me disiez que tout cela était bien joli, mais que je n'accordais pas assez de place au temps. Et vous ajoutiez : "Que faites-vous du temps si goulûment dévoré – et pas seulement par le train quotidien de la vie, par les enfants que je n'ai pas et par les vieux parents qui sont à ma charge, par les devoirs et les obligations, mais aussi, mais surtout par les multiples sollicitations dont nous sommes cibles et victimes ?"

Ce que je fais du temps ? Là, dans le rêve, je me suis un peu irrité. "Le temps ? Je vous laisse à sa merci, belle demoiselle, vous ai-je lancé, et je le laisse, lui, à sa domination !" Mais avec calme, au réveil, je vous l'écris : s'il vous convient que le temps soit votre maître au point que vous ne trouviez plus celui de lire, je vous suggère d'aller aux informations. Vous apprendrez que l'on "délocalise" à tour de bras, et que services après-vente et autres services publics auxquels vous vous adressez vous font parfois passer, sans que vous vous en doutiez, par des opératrices installées en Inde ou dans quelque autre et lointaine contrée dont la main-d'œuvre ne coûte pas cher. Vous serez ainsi amenée à vous demander si la lecture des livres que vous n'avez pas le temps d'ouvrir, on n'a pas déjà mis au point une manière de la confier à des demoiselles en sari ou à des étudiants démunis qui se chargeront de vous en rendre compte…

Convenez qu'imaginer cette folie n'est pas si absurde qu'il y paraît. On y va, on y court, à ces pratiques ! Combien de livres, à peine entrouverts ou feuilletés, ne sont-ils pas commentés, discutés, célébrés à partir de la rumeur qui les entoure, du dithyrambe qui figure en quatrième de couverture, de la publicité qui leur est faite, d'une image qui leur est donnée ou d'une critique parue dans une publication branchée ? Combien de personnes, s'accommodant de ce qu'elles en ont entendu dire, parlent ainsi de livres qu'elles n'ont pas lus et ne liront sans doute jamais, et dont il leur arrive pourtant de disposer un exemplaire, bien en vue, sur la table du salon ? *Coffee table books*, disent les Anglo-Saxons. Un peu comme ceux qui disent avoir "fait" le Portugal ou le Mexique, l'Andalousie ou le Connemera et qui en ramènent plus de photos que de souvenirs. De là à cette élucubration – la lecture sous-traitée en Inde ou ailleurs –, le pas à franchir n'est finalement pas bien grand.

De toute manière, le temps, et en particulier le temps de lire, dites-vous bien qu'on ne le trouve pas, on ne le trouve jamais qui, tout à coup disponible, vous attendrait. Le temps, ça se prend ou ça se perd ! Si vous voulez en disposer, vous ne pouvez que l'attraper, le choper, le ravir. C'est un choix à faire dans les priorités que vous vous donnez. Oui, voilà bien une autre des conditions dont l'avenir de la lecture dépend : l'attitude à l'endroit du temps.

Réfléchissez tout de même… Le désir et la capacité d'arrêter le temps n'ont jamais trouvé à se réaliser que dans les œuvres. Un tableau, une symphonie, un poème ou un roman sont autant de cages dans lesquelles le temps se trouve soudainement immobilisé. Et avec lui, vous, pour tout le temps où vous regardez, écoutez, lisez. Ce qui revient à dire que ne pas lire, ce serait perdre deux fois votre temps, le temps de lire et le temps à lire.

Pour avoir organisé de nombreuses lectures publiques, bonnes pages lues par de belles voix, l'occasion m'a été maintes fois fournie de constater que les premières réflexions auxquelles se livrent les auditeurs en s'égaillant ne sont pas seulement pour les textes qu'ils viennent d'entendre, ou pour le talent des acteurs, mais aussi, et parfois même en premier, pour le plaisir qu'ils ont eu de "prendre le temps" d'écouter. Un peu comme s'ils découvraient soudain le sens de l'expression et se rendaient compte qu'à ne pas prendre assez souvent le temps de lire parce qu'ils sont victimes d'empressements auxquels les invitent les sirènes de la société ils laissaient passer la chance de profiter des petites éternités que l'on trouve dans les oasis de la durée.

"Mille ans sont comme un jour dans le ciel", lit-on dans le Livre des Jubilés. "Il y a tant de jours dans une minute", entend-on à l'inverse dans *Roméo et Juliette*. De quelle étoffe sont-elles faites aujourd'hui, la sagesse des Ecritures et celle de Shakespeare ? Le monde, tel qu'il va, retrouvera-t-il cette philosophie du temps relatif, et la capacité de le déployer que montre aussi saint Augustin dans ses *Confessions* ? Ou y serons-nous confrontés par un événement brutal qui nous rappellera qu'au big bang de l'origine devait correspondre, un jour ou l'autre, un big bang final ?

UNE AFFAIRE DE LANGAGE

De même que vous m'aviez fait, dans un rêve, le reproche de n'avoir pas pris le temps en compte, je me suis fait reproche, ce matin, mademoiselle Esperluette, de n'avoir pas encore abordé dans cette lettre la question du langage.

Maintenant que les amandiers sont en fleur et nous donnent l'illusion que le printemps a dressé ses tentes dans le paysage de l'hiver, je vous inviterai donc à être attentive aux rencontres qui adviennent entre les mots et les choses, et aux conséquences que certains télescopages peuvent avoir.

"Ceci n'est pas une pipe", avait écrit Magritte sous l'une de ses toiles, et c'était, je vous l'ai dit, manière de montrer que la carte n'est pas le territoire. Pas plus que l'amandier en fleur n'est le printemps. Manière encore de vous dire que les choses, en notre affaire – le livre et la lecture –, dépendent de l'humeur et du comportement de ce fauve atypique, le langage, et des rapports que nous avons avec lui.

Nous ne sommes pas, vous devez le savoir, en possession d'un langage intangible dans un monde immuable. Nous ne parlons pas une langue de granit qui, au pire, serait parfois infiltrée par les eaux souterraines d'une langue étrangère – tel le français par l'anglais à la faveur de dominations économiques –, ou parfois serait barbouillée par des mots nouveaux, drôles, savants ou coquins. Non, nous avons affaire, je le répète, à un fauve avec lequel nos relations dominant-dominé sont infiniment complexes.

On m'apprit jadis que le langage était apparu à nos origines comme un prolongement du geste et de la mimique[42], et que, longtemps après, les signes graphiques avaient donné naissance à l'écriture qui avait pourvu le langage de capacités inédites et d'un sens nouveau. Aussi, quand il m'arrive d'observer certaines tentatives destinées, littéralement, à tordre le cou au langage, j'en viens à me dire que ces révoltes obscures et parfois violentes ont, avec leurs manifestations d'incomplétude et de mal-être, un petit air de régression. Comme si nous étions invités à revenir vers le geste et sa signification simpliste, primitive, brutale. Comme si, au registre de l'écriture, on se dérobait à la conceptualisation en usant de formes idéographiques, oghamiques ou runiques ainsi qu'on le voit déjà dans certains phylactères de bandes dessinées.

Je vous invite en particulier, mademoiselle Esperluette, à vous interroger sur le rôle du langage dans la connaissance que la lecture vous donne d'un livre. Car ce que vous saisissez au cours de cette lecture, la part du sens que vous entendez, c'est tout de même subordonné à la nature de vos intimes relations avec le langage. Si vous y êtes attentive, vous verrez alors jusqu'où peuvent aller les malentendus, l'équivoque et les méprises en vertu desquels beaucoup d'auteurs s'accordent à dire, avec juste raison, qu'il y a inévitablement, de ce qu'ils écrivent, autant de versions qu'ils ont de lecteurs.

On m'apprit aussi, vers la même époque, que le mot, inerte par nature, ne trouvait vie, mobilité et sens que par le rôle que lui assignait la phrase. Bref, que sans la phrase le mot était sans désir. L'expérience me l'a confirmé en même temps qu'elle n'a cessé de déployer sous mes yeux la complexité de la chose. De telle sorte que, liant une observation à l'autre, je me suis convaincu que la soi-disant crise de la lecture avait peut-être autant sinon plus à voir avec les malentendus engendrés par la connaissance (ou la méconnaissance) et la possession (ou la dépossession) du langage qu'avec la concurrence suscitée par la prolifération des sources de loisir et la multiplication des techniques numériques. "Je suis prêt à affirmer, dit François Cheng dans *Le dialogue*[43], que c'est dans le langage que réside notre mystère." Et moi, je veux par là vous suggérer que l'avenir de la lecture est sans aucun doute lié au sort que nous réserverons à la connaissance des langues et à la pratique *mystérieuse* du langage.

L'effroyable pidgin ou le rudimentaire bichlamar qui, pour des sociétés unilingues cherchant à communiquer entre elles, s'avère le plus commun dénominateur ou, comme je l'ai lu quelque part, "la langue de l'exclusion minimale", cet anglais basique, ce *globish (global english)*, mutilé et balbutiant, mais de plus en plus utilisé parce que le plus commode, ces sabirs qui ont depuis longtemps franchi les frontières d'Extrême-Orient, des îles du Pacifique et des faubourgs où ils sont nés, ce baragouin qui est l'instrument de fortune dont nous nous servons quand nous allons dans des pays dont nous ne connaissons pas la langue, et qui est devenu l'outil de tant de négociations, vers quel avenir langagier nous conduisent-ils et quelle emprise auront-ils sur la langue, les livres et la lecture ?

Dans le pessimisme qui doit vous paraître suinter de mes propos comme d'une gargoulette, je ne vais pas sans entrevoir de petites lueurs d'espoir. Ainsi suis-je constamment ébaubi de constater que, des Etats-Unis, où la langue parlée, chaque fois que j'y vais, me paraît avoir subi de nouvelles transformations, contractions et agressions qui m'obligent à une nouvelle accoutumance, nous viennent des romans dont l'écriture, infiniment éloquente, manifeste des exigences exemplaires. A l'inverse, il m'arrive de me demander si des écrivains de chez nous, qui se prétendent explorateurs de pointe – poètes hermétiques avec leurs refus à comparaître, éjaculateurs, provocateurs détruisant délibérément le plaisir de lire comme si la mode en était passée –, ne sont pas suicidaires, eux qui cultivent l'impénétrable et paraissent n'avoir plus pressant souci que d'être incompréhensibles dans la seule ambition, peut-être, de se proclamer maudits et persécutés.

La question serait alors de savoir lequel – du langage apocopé, raccourci, souvent relayé, repris par le numérique et ses avatars, ou d'une langue protégée, dans sa tessiture et dans ses multiples nuances – attirera l'autre sur son terrain. Où l'aimant, où la ferraille ? Allons-nous vers un monde de représentations où la langue et le langage, parents pauvres, seront réduits à l'usage de déambulateurs et au b. a.-ba de la phonétique ?

Mais pire encore est à mes yeux – et, je l'espère, aux vôtres – la manière dont sont à présent rédigés certains rapports, dissertations, articles, mémoires ou thèses dont le style et l'orthographe me donnent des pressentiments funèbres. Aussi m'arrive-t-il de comparer le langage en son parler – ou la langue dans l'écriture – à un collier hawaïen dont, selon les circonstances, on se pare avec fierté ou se dépare avec mépris. Comme si, dans la vie et dans les livres, on hésitait à voir dans la langue un ornement

ou un fardeau, un bienfait ou un méfait, une res-
source ou un handicap.

Si ces pratiques continuent de s'infiltrer dans les
livres, elles ne seront pas sans influence sur les lecteurs qu'elles pourront lasser, écarter et même
perdre. Et un écrivain sans lecteurs, ma chère amie,
est à sa manière un condamné oublié dans le cou-
loir de la mort.

TU N'AS RIEN DE MIEUX A FAIRE ?

Il n'y a guère, un éditeur de littérature enregistrée me
proposa de composer pour le Nouvel An une "lettre
sonore", quelque chose comme une "épître à l'aveugle inconnu". Il entrait justement dans mes inten-
tions, mademoiselle Esperluette, de vous proposer, à
un moment ou à un autre, une réflexion sur la tournure "sonore" que, par paresse et facilité, pourrait
prendre la lecture dans l'avenir, et sur le retour para-
doxal qui serait ainsi fait au temps où la lecture silencieuse était inexistante – jusqu'en l'an 383 de notre
ère, dit Alberto Manguel en relatant, dans son *Histoire de la lecture*[44], une rencontre dont je vous conseille de ne pas négliger le récit. Je vous la livre donc,
cette lettre, prenez-la comme un codicille à celle que
je vous fais depuis des jours et des jours…

"Quand j'étais enfant, ai-je écrit puis dit au micro,
ma grand-mère pour me préparer à aimer les livres

m'en lut un grand nombre. Elle avait une très belle voix, ma grand-mère, et les mots dans sa bouche révélaient leur relief, dévoilaient leurs rondeurs, manifestaient leurs sonorités. «Ecouter c'est lire», me disait-elle. C'est pourquoi plus tard, quand je me mis à lire moi-même, en même temps qu'ils défilaient sous mes yeux, j'entendis les mots me chanter dans la tête. Avec la voix de ma grand-mère.

"Il y a soixante-dix ans de cela et, croyez-moi, ai-je ajouté, rien n'a changé. Je suis toujours persuadé que, dans la lecture à voix haute, pas un mot n'est perdu tandis que, dans la lecture silencieuse, il n'est pas rare que l'œil se mette à courir, à patiner, à riper, et même à sauter des lignes. Et l'on ne retient alors que le côté superficiel des choses. Quel que soit le texte que je lise aujourd'hui, je m'attache donc à entendre la musique des mots car si je ne l'entends pas, cette musique, je sais que je suis en train de lire mal, très mal, et de perdre cette forme du langage qui ajoute du sens au sens des mots."

Je passe la suite… Voilà donc, ai-je pensé quand la lettre fut enregistrée, un lieu où les techniques nouvelles ont du bon qui offrent de vraies lectures à ceux que l'on s'imagine ne pas pouvoir lire.

"Oui mais, m'a tout de suite éjaculé dans l'oreille le *Doppelgänger* qui ne cesse de me contredire et de me tourmenter, c'est très joli ce souci que tu as de la lecture, mais te souviens-tu de la façon qu'avait parfois ta mère de t'apostropher, à l'époque même où ta grand-mère, elle, t'éveillait à de si belles histoires ?"

Il avait raison, ce bougre de *Doppelgänger* ! Quand elle me trouvait à glander, il arrivait à ma mère de me demander si, au lieu de rester là, à traîner ou à jouer, je n'avais rien à lire. Et si elle me trouvait à lire, elle me demandait si je n'avais rien de mieux à faire. C'est, je crois, toute l'ambiguïté du statut de la lecture que je retrouve avec ce souvenir.

Passé le temps de celles qui sont imposées par l'enseignement – de moins en moins imposées d'ailleurs –, la lecture ne peut plus être que la pratique que nous avons adoptée avec le dessein de nous meubler l'esprit, dans l'ambition d'enrichir nos connaissances et notre mémoire, dans le désir d'entretenir les jardins de l'affectif et de découvrir le théâtre de nos émotions.

Oui, mais en fin de compte, dans l'opinion commune, qu'est-ce que la lecture, mademoiselle Esperluette ? Un plaisir ou une contrainte ? Une nécessité ou un pis-aller ? Une perte de temps ou un investissement ? Et si c'était tout ensemble ? En tout cas ma pauvre mère n'y voyait pas très clair, et je crois que la plupart des gens non plus ne s'y retrouveraient pas aisément si on les assiégeait avec de telles questions.

Je fis à cet égard une curieuse expérience un jour
où l'on m'avait invité à conduire une séance de lecture dans une maison d'arrêt de la région. Le fonc-
tionnaire qui m'attendait et me conduisit dans la
salle de réunion me dit que j'aurais tort de me faire
des illusions : j'allais certes trouver une salle bien
remplie, mais par des gens qui s'étaient inscrits
avec le seul désir de sortir un moment de leur cel-
lule. Il n'avait pas tort et je le compris aux premiers
mots échangés avec ces prisonniers qui me montrè-
rent sans tarder qu'ils me déniaient toute autorité.
J'avais eu l'imprudence, pour nouer la conversation,
de dire que la salle où nous nous trouvions dans cet
établissement construit de neuf ressemblait à celles
de l'université où il m'arrivait de diriger des sémi-
naires. J'avais cru les flatter, c'était maladroit, je les
avais provoqués. Aussitôt des voix gouailleuses
m'avaient lancé que je n'étais par leur maître et
qu'ils avaient passé l'âge d'apprendre à lire. "Dans
ce cas, leur ai-je dit avec inconfort et en pensant à
part moi que dans tout homme, fût-il un repris de
justice, un enfant sommeille avec ses rêves, le plus
simple est encore que je vous raconte une histoire.
Et vous n'êtes pas obligés de l'écouter."

M'étant ainsi moi-même mis au défi, me promenant parmi eux, mains dans les poches, j'entrepris,
comme s'il s'agissait d'une aventure dont j'avais
connu les protagonistes, de leur narrer le destin de

Sonetchka, la petite héroïne que Nina Berberova avait mise en scène dans *L'accompagnatrice* que je venais de publier. Mais sur l'auteur je ne dis mot. Peu à peu, ces hommes, une trentaine, anges pasoliniens et roublards décrépits, et même ceux qui, s'étant assis près des fenêtres à barreaux, me tournaient le dos et fumaient – manière ostensible de me dire que je ne devais en aucune manière compter sur leur attention –, firent cercle autour du griot qui s'était aventuré parmi eux. Et quand, pour terminer, je dis avec lenteur, et comme si elle était de moi, cette phrase que je connaissais par cœur : "Est-ce vraiment la peine de se sentir blessée par sa propre mère parce qu'on vous a craché à la figure dès avant votre naissance ?" j'eus l'impression d'avoir touché un point sensible[45].

Après quelques instants de silence, l'un des plus âgés voulut savoir si je l'avais connue à la fin de sa vie, cette Sonetchka dont je leur avais conté l'histoire comme si elle était de mes intimes. Je répondis : "Oui, d'une certaine manière." Un autre alors demanda si, cette histoire, je ne ferais pas bien de l'écrire, et à celui-là je répondis que c'était déjà fait. Quoi, je venais donc de leur raconter une histoire que j'aurais pu leur lire car je l'avais écrite ? Pas moi, leur révélai-je, mais une certaine Nina Berberova. Et je leur lâchai la vérité. Il y eut un petit tumulte, les uns me reprochaient de les avoir bernés et ils voulaient savoir pourquoi, les autres étaient encore dans l'émotion que leur avait donnée Sonetchka. Je tirai de ma poche un exemplaire de

L'accompagnatrice, je le leur montrai, on me le prit des mains, l'un des gardiens qui nous surveillaient voulut intervenir. Je l'en dissuadai. Ce livre, les détenus pouvaient le garder et s'ils le voulaient, dis-je, on leur en ferait parvenir d'autres exemplaires, et même d'autres livres. Je n'y fus jamais autorisé par l'administration, et jamais je ne fus réinvité dans cette maison d'arrêt.

Je ne sais si d'un seul de ces hommes j'ai fait ce jour-là un lecteur, mademoiselle Esperluette, mais je sais que j'ai pensé à ma grand-mère car c'était elle qui m'avait appris qu'en racontant ce qu'il y a dans les livres on peut donner envie de les lire. Plus tard, je me suis servi de ce souvenir pour aider dans leur tâche les représentants de la maison d'édition que j'avais fondée. Il y avait là, pensais-je, un moyen de fixer l'attention de libraires auxquels, l'année durant, ces représentants doivent présenter des nouveautés qui se succèdent sans trêve. Là où le libraire s'attend au déballage des dispositions promotionnelles et des *arguments*, expliquais-je, lui conter en douce l'histoire d'un livre, c'est courir la chance que, dans sa mémoire, le souvenir s'accroche et que lui vienne, comme à mes prisonniers, l'envie d'en savoir plus, donc l'envie de lire le livre. Or on n'a jamais vu libraire plus persuasif que celui qui recommande un livre qu'il a vraiment lu.

Depuis le temps où, par l'évolution économique, le livre a été pris dans le tourbillon du marchandisage – et s'il n'est pas tombé, à peine né, dans les ténèbres du silence – il ne se déplace plus sans être l'objet d'homélies qui emmêlent leurs traînes, le précèdent, l'accompagnent ou lui courent après, homélies ou apologies ou plaidoyers qui sont comme une prolongation du paratexte. C'est pourquoi m'est un jour venue l'envie d'exposer à quel point ces commentaires et afféteries pouvaient modifier le sens initial d'un livre, ce sens que l'auteur croit définitivement fixé au moment où il confie son "texte nu" à l'éditeur chargé de le formater et de l'accastiller.

Vous connaissez le jeu dit du téléphone arabe. Circulant de bouche à oreille, une information peu à peu se transforme jusqu'à parfois subvertir sinon démentir son sens initial. Sans aller jusque-là, c'est un peu ce qui se passe avec le manuscrit dans son cheminement vers le livre. Et ce que vous lisez est parfois fort loin de ce que l'auteur croyait avoir écrit. Il en est donc résulté un livre[46] qui, si j'en juge par des commentaires qu'il a reçus, a subi le même sort que ceux dont il exposait la condition.

Mais ce que j'ai envie, ce soir, de mettre sous votre joli nez de lectrice, pour que vous compreniez que là aussi se joue l'avenir mosaïque de la lecture, c'est que, si indépendante que vous vous montriez, vous n'êtes pas à l'abri du harcèlement médiatique, de ses caprices, de ses manipulations, bref de ce "massage" au sens où l'entendait McLuhan. Imaginez un instant que vous ayez été, dans les années vingt, où vous n'étiez pas née, l'une des premières lectrices du sulfureux *Diable au corps* de Radiguet pour lequel Bernard Grasset avait fait une publicité tapageuse en insistant sur la jeunesse de l'auteur… Pensez-vous un seul instant que votre lecture et votre jugement n'auraient pas été conditionnés par la curiosité pour l'exploit d'un génie précoce défiant la morale et par le parfum de scandale qui en montait ? Et que si, tout au contraire, on vous avait présenté l'auteur comme un roquentin, vous n'auriez pas fait une lecture différente ? C'est à dessein que j'ai proposé un exemple lointain.

Avec la distance, l'image est plus nette. Mais dites-vous qu'à tout instant on vous invite à voir quelque plat pays comme s'il était en altitude et à prendre pour une tragédie shakespearienne un triste mélo de boulevard. Maintenant que vous voilà avertie, relisez donc quelques-unes des quatrièmes de couverture des livres que vous avez sur vos étagères. Vous verrez comment on a tenté de vous disposer à lire ces livres et à en parler ensuite. Et vous le constaterez : il y a peu de propositions innocentes dans ce monde qui a perdu les repères qui séparaient le savoir-faire du savoir-vendre.

La quatrième de couverture fait donc partie du discours éditorial, et elle est complétée par les argumentaires, catalogues, brochures, notices que produit l'éditeur. Mais vous, que l'on veut atteindre et convaincre, mademoiselle Esperluette, vous êtes aussi la cible des articles, reportages et critiques qui paraissent dans les journaux et les magazines que vous consultez. Il fallait donc que, tôt ou tard, je vous parle un peu de la critique…

LES MAINS DANS LA FARINE

Deux écrivains de renom que j'ai longuement fréquentés m'ont entretenu de la critique à plusieurs reprises, voici des années. L'un, Albert Cohen, n'en faisait pas et se gardait d'en faire. "Les critiques ? Ce sont les poux du génie", m'avait-il dit un jour, à propos de "l'année Beethoven", celle du bicentenaire, au cours de laquelle d'incessants concerts, récitals et intégrales, qu'il écoutait à la radio, étaient, pour son grand déplaisir, commentés d'abondance. Vers la fin de sa vie, porté par le succès que lui avait valu la reconnaissance tardive de son œuvre et hanté par sa fin prochaine, Cohen avait ouvert aux journalistes les portes qu'il leur avait longtemps fermées au nez. C'est dans cette dernière période qu'il avait proféré à l'endroit de Marguerite Yourcenar la désastreuse raillerie que je vous ai rapportée. Je compris ainsi que l'on peut être un bon écrivain et faire un détestable critique.

L'autre, Max-Pol Fouchet, était l'un des critiques les plus écoutés de son temps. Ses articles dans la presse, ses interventions à la radio et à la télévision, notamment dans l'émission "Lectures pour tous", lui avaient acquis une très forte réputation, et aujourd'hui encore on ne prononce pas son nom sans respect. Des commentaires qu'il me faisait alors, j'ai retenu deux universaux. "D'abord, me disait-il, la critique est une aventure dans l'aventure du livre." Il manifestait par là que l'on ne pouvait, sans avoir un tempérament de créateur, comprendre et commenter la création des autres, assertion reprise dans *Les appels*[47] : "On ne découvre pas, on est découvert par ce que l'on croit découvrir."

La seconde leçon apprise de lui, c'est que pour se risquer à commenter un livre, en faire connaître le sens et proclamer sa valeur, il fallait l'avoir lu trois fois, la première pour en prendre connaissance, la deuxième pour l'analyser sans être distrait par la découverte d'un sujet désormais connu, et la troisième pour confronter l'œuvre revisitée aux commentaires que l'on s'apprêtait à en faire. Or, figurez-vous, mademoiselle Esperluette, que dans un roman, *Les rois borgnes*[48], je mis jadis en scène un personnage, Claude Galien, qui s'inspirait de Fouchet et lisait trois fois les livres avant d'en parler à la télévision. Plusieurs critiques ont aussitôt réagi avec vivacité. Lire trois fois chaque livre ? Mais où iraient-ils à ce train ? Ils me taxèrent d'hyperbolisme, comme si je les avais accusés implicitement de mal lire en ne lisant qu'une fois.

Je me suis souvent demandé pourquoi tant de critiques choisissaient de nous entretenir des livres comme s'ils faisaient de l'équitation démonstrative, comme s'il s'agissait pour eux d'afficher leur maîtrise, comme si le livre était une monture qui leur permît de manifester leur aptitude à la reprise et leur habileté au dressage. Sans doute la mélancolie et l'incomplétude que certains, parmi eux, ressentent pour n'avoir pas eu de destin littéraire personnel peuvent-elles donner à ce comportement un début d'explication. Mais, Dieu merci, ils ne sont pas tous de la même étoffe.

Je me souviens tout à coup d'une dame qui écrivait à son amant qu'elle eût aimé qu'il l'embrassât "pendant qu'elle avait les mains dans la farine". C'est là que, pour ma part, je reconnais les critiques qui me bottent, ceux par qui les livres sont réellement portés : ce sont ceux que j'ai l'impression de ne surprendre, ni dans leurs tours de manège ni dans la quête de leur propre célébration, mais "les mains dans la farine".

Or, s'il arrive que des critiques, dans la nostalgie de n'être pas des auteurs à part entière, se servent des livres pour faire valoir leur ego, s'ils utilisent leurs rubriques pour parler d'eux-mêmes et pour se créer une clientèle, les écrivains, eux, qui ne sont pas toujours les anges de la modestie que des Samuel Beckett ou des Julien Gracq ont si discrètement incarnés, ne sont pas non plus en reste quand on les invite à porter jugement sur eux-mêmes.

Jérôme Garcin en a fait la démonstration en proposant à trois cent cinquante d'entre eux d'écrire leurs nécrologies, qu'il a rassemblées dans une sorte de dictionnaire[49]. La place était mesurée, mais combien d'invités, sans en tenir compte, ont pondu sur leur précieuse personne une célébration parfois impudique, certes avec un talent d'écriture, mais souvent sur un ton qu'ils auraient brocardé (et sans doute l'ont-ils fait) s'ils l'avaient trouvé dans un article consacré à l'un de leurs confrères.

Le paradoxe est que l'un des écrivains les plus connus, un – ou plutôt *une* qui a été consacrée par les plus gros tirages et les meilleures ventes –, Françoise Sagan, a écrit pour ce dictionnaire la plus brève et la plus malicieuse des contributions. On peut lire, en effet, dans cette notule : "Sa disparition, après une vie et une œuvre également agréables et bâclées, ne fut un scandale que pour elle-même."

UN MOT SUR L'ABSOLU

Vous le savez, je vous l'ai dit, mademoiselle Esperluette, il m'est arrivé de croiser de petits imbéciles qui se vantaient de ne rien lire, et surtout pas pendant qu'ils écrivaient, afin de n'être pas influencés dans leur inspiration ou parce qu'ils se posaient en représentants d'une nouvelle époque sans compassion pour les précédentes. A l'opposé, parmi les

116

écrivains, les vrais, j'ai maintes fois trouvé des lecteurs exemplaires. De ceux qui, dans la lecture des autres comme dans leurs propres livres, me donnaient l'impression d'être partis à la conquête de la baleine blanche. Quête ou conquête que Giono rapporte en ces termes dans la préface à sa traduction de *Moby Dick* : "L'homme a toujours le désir de quelque monstrueux objet. Et sa vie n'a de valeur que s'il la soumet entièrement à cette poursuite. Souvent il n'a besoin ni d'apparat ni d'appareil ; il semble être sagement enfermé dans le travail de son jardin, mais depuis longtemps il a intérieurement appareillé pour la dangereuse croisière de ses rêves[50]."

Et voilà peut-être, mentionnée dans un méandre de cette lettre, une chose des plus importante pour la survivance de la lecture autant que pour l'avenir de l'écriture : l'ambition métaphysique. Ne vous effrayez ni du mot ni de l'expression, mademoiselle, il ne s'agit après tout que de faire ainsi référence à cette recherche de l'absolu qui nous hante même quand nous ne la percevons pas.

L'écrivain et le lecteur en viennent souvent à rôder aux confins du langage avec le pressentiment qu'il existe, au-delà de la frontière tracée par les mots, des espaces encore peuplés de sens. C'est un sentiment que connaissent ceux qui fréquentent la musique car, même s'ils la savent impuissante à leur apporter des réflexions ou des représentations qu'ils trouvent dans les textes, ils la sentent en revanche capable de manifester ce que les mots, eux, sont impuissants à leur dire : ce qu'ils pourraient être et jamais ne seront.

Aujourd'hui, voyez-vous, quand je surprends un enfant ou un adulte absorbé dans la lecture d'une bande dessinée ou d'une brochure à quatre sous, je me dis que, même là, avec l'adresse ou la maladresse de son âge ou de sa formation, il cherche ce qu'il chercherait d'une autre manière s'il était en train de lire Montaigne ou Stendhal. Il se cherche en cherchant à s'identifier au héros et à ses aventures. C'est pourquoi il faut voir dans chaque livre, quel qu'il soit, une invitation à découvrir les interrogations qui stagnent dans les brumes. Il y a là quelque chose comme une volonté de peupler le monde (réel ou imaginaire) de points d'interrogation, d'en faire une pépinière, en lieu et place des points d'exclamation constitués en palissade avec laquelle on tente aujourd'hui de nous enfermer dans un monde en voie de sinistre formatage.

DE LA NÉCESSITÉ PHILOSOPHIQUE

J'en viens ainsi, mademoiselle Esperluette, à vous faire part d'une conviction. A savoir que l'avenir de la lecture – et j'entends un avenir où chaque livre lu nous apporterait son lot de révélations et d'interrogations qui feraient qu'en tournant la dernière page nous ne serions plus pareils à ce que nous étions en y entrant, ni dans les mêmes certitudes – dépend du sort que notre société et son enseignement en particulier réserveront à la philosophie dont la place, par les temps que nous traversons, est si dévaluée quand elle n'est pas usurpée par les charlatans dont je vous ai parlé.

Et à quoi donc servirait-elle, la lecture, si elle ne nous aidait à comprendre que chaque livre est un passage étroit entre deux "ailleurs", celui d'où nous venons avec souvent si peu de mémoire et celui vers lequel nous allons en aveugles ? A quoi donc servirait la lecture si elle ne devait nous mettre en garde contre la fascination sécuritaire, l'illusion prométhéenne et la chimère de l'inventivité permanente ? A quoi donc servirait la lecture si elle ne nous réconciliait avec l'historicité, avec l'idée que l'histoire est riche d'enseignements mais que notre destin collectif fait plus souvent des boucles qu'il ne se déroule dans un droit fil ? A quoi servirait-elle si nous n'y apprenions pas à repérer l'ambition et à dénoncer le mépris ?

"Que puis-je savoir ? Que dois-je faire ? Que m'est-il permis d'espérer ? Qu'est-ce que l'homme ?" demandait Kant. Si vous n'y êtes pas préparée, si vous n'en avez pas le goût, il n'est pas indispensable que vous vous plongiez dans la lecture de ses célèbres prolégomènes. Ces questions-là – qui vous sont tout de même immanentes –, la lecture de livres moins savants vous y conduit pourvu qu'avant de les ouvrir vous n'ayez pas fermé à double tour les portes de votre entendement.

S'ouvrir à la philosophie, c'est en quelque sorte pratiquer un art floral qui exige d'être attentif au déploiement des questions comme à celui des pétales chez les belles-de-jour et chez les belles-de-nuit. S'ouvrir à la philosophie, c'est se souvenir de Montaigne disant d'elle, avec sa verve merveilleuse : "Qui me l'a masquée de ce faux visage, pâle et hideux ? Il n'est rien plus gai, plus gaillard, plus enjoué, et à peu que je ne dise folâtre[51]." S'ouvrir à la philosophie, c'est constater que toute page d'un livre est motif d'en faire et, bien entendu, c'est s'en servir pour que les livres deviennent les instruments de notre pensée.

QUINZE JOURS ENTRE VOUS ET MOI...

Il y a beaucoup plus de quinze jours que je me suis mis à vous écrire cette lettre, mademoiselle Esperluette, mais ce matin, en ouvrant mon agenda Gallimard qui est truffé de citations, j'ai eu mon attention attirée par celle-ci qui est de Stendhal dans *Lucien Leuwen* : "Lucien s'attacha à la marquise, et, au bout de quinze jours, elle lui sembla jolie."

Je ne vous composerai pas là-dessus un capriccio philosophique, et je ne reprendrai pas les formules recommandées à M. Jourdain par le maître de philosophie dans *Le bourgeois gentilhomme* : "Me font vos beaux yeux mourir, belle marquise, d'amour."

Même si je vous crois belle, parce que je sais d'expérience combien la lecture peut rendre belles les lectrices...

Je me souviens d'une Québécoise qui, un soir, pour me remercier d'un livre qu'elle venait de découvrir, se précipita vers moi et, dans cette langue de la "Belle Province" qui est parfois si savoureuse, me dit : "Ah, monsieur, en vous lisant j'ai joui." Je n'en demandais pas tant. Et vous, mademoiselle Esperluette, pardonnez-moi cet écart. Je crois qu'il m'est venu sous la plume comme souvent il s'en manifeste, pour marquer le plaisir, quand on s'aperçoit, tout guilleret, qu'un texte se rapproche de l'épilogue. De toute manière, je n'aurais pu me priver d'un nouveau détour par l'affect du désir pour une raison que je vais tenter de vous dire.

L'essence du désir n'est-elle pas marquée par l'incomplétude et l'espérance d'y remédier ? Par le manque que désignait Platon mais aussi par l'émergence d'une sorte de volonté de le combler ? Désirer, c'est à la fois prendre conscience d'une absence et tendre vers sa résolution, c'est percevoir et agir. Or la lecture n'a pas d'autre vrai mobile. Elle n'est justifiable que dans la mesure où elle répond à cet appétit de vivre, d'éprouver, de ressentir, de connaître, bref dans la mesure où elle répond au désir par le plaisir.

Aussi quand, dans notre société bernée par les charlatans qui promettaient de la combler, tant de signes aujourd'hui révèlent une extinction du désir par l'inévitable aversion que donnent la satiété et la réplétion – signes au premier rang desquels je vois la boulimie consommatrice, l'avidité possessive et l'hyperphagie qui a transformé l'érotisme en triste industrie de la pornographie – je suis enclin à me dire que le livre va y passer avec le reste et que, tôt ou tard, les lectrices dans votre genre n'existeront plus que sur une improbable carte de Tendre.

NOMMER LE MONDE

Pourtant, dans un petit livre qu'il m'a dédié comme s'il avait pressenti que je vous écrirais un jour cette lettre, Alberto Manguel dit avec netteté : "Je suis convaincu que nous continuerons à lire aussi long-temps que nous persisterons à nommer le monde qui nous entoure[52]." Comme si, à défaut d'être le premier de nos désirs, la volonté de nommer le monde était le premier de nos besoins.

C'est là une jolie tournure qui nous invite à ras-sembler en une seule toutes les raisons que nous avons de lire. Mais, s'il a fichtrement raison, l'auteur de *La bibliothèque de Robinson*, encore faut-il s'en-tendre sur le sens du mot. Nommer ? Nous avons aujourd'hui la mémoire aussi envahie par des appel-lations et des marques que peut l'être celle d'un médecin par la liste des spécialités sans cesse accrue et modifiée de la pharmacopée. A cette différence près que, non content de connaître l'usage de chacune, le médecin sait en général avec quelle prudence il faut accorder les symptômes observés aux vertus supposées de la molécule. Il importe donc d'éclairer l'assertion de Manguel par une précision d'importance que toute son œuvre d'ailleurs montre et illustre, à savoir que "nommer le monde", c'est plus et mieux que dresser une nomenclature, c'est une véritable mission, celle des écrivains. Pour nous, leurs lecteurs, ils nomment le monde en ses états les plus divers afin de nous permettre d'en comprendre la nature et la substance. Tous ensemble, du moins dans les congrégations que nous avons constituées par nos lectures, ils nous enseignent cette grammaire particulière à bâtons rompus et page par page. Et la richesse de notre connaissance est ainsi liée à la complexe diversité qu'ils nous font voir.

Dans un brouhaha où s'entremêlent les voix et les styles, où les natures mortes chères au nouveau roman croisent sur notre scène mentale les orages de Chateaubriand, le désespoir d'Anna Karénine, les frasques de Gargantua, la folie de Don Quichotte, les mystères de Pauline de Théus, les caprices d'Odette de Crécy ou l'intimité servile d'une certaine O., dans un champ de foire où la déferlante des images et l'exhibitionnisme nominal le disputent au chambard de la techno-parade, les écrivains, outrepassant "l'impudence d'énoncer" de Hegel, nous apprennent à "nommer" à notre tour les émotions les plus discrètes comme les tornades les plus tapageuses, et à découvrir les sens multiples sous le sens immédiat.

Eternel recommencement, à l'âge adulte, de nos premiers émerveillements quand, enfants, souvenez-vous, mademoiselle Esperluette, nous apprenions à désigner les choses par leur nom avec l'impression que nous accédions ainsi à la propriété et au pouvoir.

Et le dernier mot revient à G. K. Chesterton : "La littérature est un luxe ; la fiction, une nécessité[53]."

VERS LA FIN ON TITUBE TOUJOURS UN PEU…

Ce matin qui est un lundi de Pâques tout éclaboussé de soleil, mais avec quelque fraîcheur, comme pour rappeler que la douceur du temps n'est pas encore irréversible, je suis allé voir une corrida équestre, au cours de laquelle, par deux fois, une jeune Julie qui d'un maître adulé par les foules recevait l'alternative[54] a fait démonstration de virtuosité, de maîtrise et de courage en même temps que les trois chevaux, par elle montés successivement, lui apportaient le concours de leur obéissance, de leur complicité, de leur habileté à se dérober aux charges du taureau, et de leur malice à y ajouter quelques grâces de jambes. Et sitôt rentré, je suis retourné à Lorca, Montherlant et naturellement au patron, Ernest Hemingway. J'ai pioché dans leurs livres, ce qui est à mon sens l'une des

124

jouissances majeures de la lecture, une qui me fait dire que si, par sottise et extravagance, les hommes (jamais une femme ne sera capable d'une telle folie) cessaient d'écrire et de faire paraître des livres ou en interdisaient le commerce, il en resterait toujours assez, dans les greniers et les caves où nous aurions enfouis les nôtres, pour meubler tous les jours de plusieurs très longues vies.

Faites excuse, mademoiselle, vers la fin on titube toujours un peu…

Aujourd'hui, tant d'écrans et d'obstacles nous empêchent pourtant d'accéder à ce commerce essentiel que désignait Manguel – nommer et apprendre à nommer – que soudain me reviennent en mémoire les mots avec lesquels commence l'un de mes livres de chevet, *L'homme sans qualités* : "D'où, chose remarquable, rien ne s'ensuit[55]." Curieux incipit dont la mélancolie me convient. Car, j'en ai bien conscience, les pistes que je pourrais encore vous indiquer, les autres raisons que je pourrais vous donner pour que vous entreteniez ce précieux goût de la lecture qui, si invisible que vous soyez, vous fait tellement présente à mes yeux, et toutes les précautions que je pourrais vous suggérer de prendre, me paraissent bien vulnérables quand je considère cette espèce de raz-de-marée mercantile qui, nous submergeant avec ce que nous n'avons pas demandé, nous empêche d'accéder à ce que nous souhaitions mais que nous ne distinguons plus très clairement dans la confusion de nos désirs.

Oui, on peut donc dire ça… Rien ne devrait suivre car "rien ne s'ensuit". Vous savez, ma seule certitude, au terme de cette lettre, c'est que, aussi longtemps qu'il y aura dans ce monde de parvenus, comme disait Guéhenno[56], des lectrices de votre étoffe, il y aura des écrivains qui, sans vous connaître, écriront pour vous. Il est d'ailleurs là le miracle, dans le fait que l'approbation d'un seul lecteur peut justifier un écrivain, qui ne le connaît pas, d'avoir écrit son livre.

Pour le reste, sachant que si l'on veut vraiment lire on peut lire, on peut lire au lit, dans le train, en avion, lire sur la plage ou dans les antichambres, sur le ventre et sur le dos, et persuadé que, malgré le boulot, les obligations, la famille, malgré le cinéma, la radio, la télévision et les disques, on peut toujours prendre le temps de lire, voyant aussi que, sur cette fichue planète qui fonce en tournoyant vers je ne sais quel trou noir, les mauvais coups pleuvent, le mépris ricane et qu'il y a toujours des bénévoles pour donner aux affamés la brioche de Marie-Antoinette, je n'ai pas beaucoup de considération pour ceux qui se plaignent qu'on ne fasse pas pour les livres ce qu'ils pourraient commencer par faire eux-mêmes après avoir réglé son compte à leur paresse et pris la résolution de mettre un terme à leur ignorance : les lire, y chercher leur plaisir et le faire partager. Leurs jérémiades me laissent indifférents et je me range à ce que disait Pavese : "Les malheurs ne suffisent pas pour faire d'un con une personne intelligente[57]."

Sans doute, au train où vont les choses, le livre tel que nous le fréquentons et la lecture telle que nous la pratiquons, entreront-ils un jour prochain au musée des Arts premiers. Et l'empire littéraire connaîtra de grands bouleversements. Eh bien, lira bien qui lira le dernier !

Je croyais en avoir fini, mais il se trouve que, hier soir, avec un couple d'amis – et c'était un peu pour fêter à leur insu la fin de la longue lettre que je vous avais écrite –, nous avons regardé, les pieds sur la table et un verre de vin à portée de la main, la version intégrale (près de six heures !) du *Fanny et Alexandre* d'Ingmar Bergman[58]. Magie du DVD... Ah, cette illumination du texte par l'image et de l'image par le texte, et, par-dessous, le vertige des langues : le suédois parlé, l'anglais des sous-titres et le français dans lequel, mentalement nous traduisions ces deux langues ! Je me suis dit, dans la nuit, qu'une époque où l'on pouvait vivre des aventures de ce calibre, où les concurrences du texte et de l'image se métamorphosaient en alliances, où l'on se donnait de pareilles jouissances et de tels vertiges affectifs, après tout n'était pas une si mauvaise époque.

Et maintenant, avec des subjonctifs chers aux vieux horticulteurs que parfois on surprend à palisser les phrases et à entretenir les motifs floraux de

la langue, je vous le dis : combien j'eusse espéré
que vous fussiez réelle, mademoiselle Esperluette.
Mais force, hélas, m'est d'avouer que je vous ai in-
ventée.

Au Paradou, janvier-juin 2004.

NOTES

1. Claude Roy, *Temps variable avec éclaircies*, Gallimard, 1984.
2. *Les écrits de l'image*, n° 40, décembre 2003.
3. "Tu avais raison, ma chère Sophie ; tes prophéties réussissent mieux que tes conseils." (Laclos, *Les liaisons dangereuses*.)
4. Jean Duvignaud, *B.-K. (Baroque et kitsch)*, 1997 ; *Le prix des choses sans prix*, 2001 ; *Les octos*, 2003 ; tous chez Actes Sud, "Un endroit où aller".
5. Eric Cross, *The Tailor and Ansty*, The Mercier Press, Cork, 1970.
6. Ancien leader du Sinn Féin devenu premier ministre puis président de la République, Eamon De Valera avait décidé de la neutralité de son pays dans la Deuxième Guerre mondiale.
7. "«Quant au livre.» Prophéties et pouvoir", Pascal Durand, in *Editions et pouvoirs*, Les Presses de l'université Laval, 1995.
8. Hubert Nyssen, *Sur les quatre claviers de mon petit orgue : lire, écrire, découvrir, éditer*, Leméac / Actes Sud, "L'écritoire", 2002.
9. Göran Tunström, *L'oratorio de Noël*, Actes Sud, 1986.
10. Michael Cunningham, *Les heures*, Belfond 1999 ; TF1 Video, 2003.
11. A ce sujet, voir le roman de science-fiction de William Gibson, *Neuromancien*, J'ai lu, 2000.
12. Gérard Genette, *Palimpsestes*, Le Seuil, 1981 ; *Seuils*, Le Seuil, 1987.
13. W. G. Sebald, *Austerlitz*, Actes Sud, 2002.

14. Gérard Genette, *Seuils*, Le Seuil, 1987.

15. Marshall McLuhan, *Message et massage*, Pauvert, 1968.

16. Jean Starobinski, *Portrait de l'artiste en saltimbanque*, Skira, 1970.

17. Paraphrase, par Gustave Thibon lui-même, d'une citation de *L'équilibre et l'harmonie*, Fayard, 1976 : "La feuille morte voltige d'un lieu à l'autre, mais tous les lieux se valent pour elle, car son unique patrie est dans le vent qui l'emporte."

18. Josyane Savigneau in *Le monde,* 22 avril 2004, à propos de *Rien de grave*, l'autobiographique roman de Justine Lévy.

19. Entretien avec Marguerite Duras, *in* Hubert Nyssen, *Les voies de l'écriture*, Mercure de France, 1969.

20. Néologismes d'origine québécoise dont le premier est aujourd'hui prescrit en France par le *Journal officiel* pour les documents administratifs.

21. Jules Romains, *Le moulin et l'hospice*, Flammarion, 1949.

22. Jean Giono, *Noé*, Gallimard, 1961.

23. L'*Abécédaire de Gilles Deleuze avec Claire Parnet*, Editions Montparnasse, 1997.

24. Jean-Paul Sartre, *Les mots*, Gallimard, 1964.

25. Don DeLillo, *Cosmopolis*, Actes Sud, 2003.

26. Jérôme Duhamel, *La passion des livres*, Albin Michel, 2003.

27. Notez au passage la proximité de "mirage" et "image", et souvenez-vous que l'*imago* est aussi l'ombre d'un mort…

28. Pia Petersen, *Parfois il discutait avec Dieu*, Actes Sud, "Un endroit où aller", 2004.

29. Michel Guérin, *Nihilisme et modernité*, éditions Jacqueline Chambon, 2003.

30. Ray Bradbury, *Fahrenheit 451*, Gallimard, "Folio SF", 2000.

31. *Journal d'instruction sociale*.

32. Stephen Spender, *Jounaux 1939-1983*, Actes Sud, 1990.

33. *Cf.* André Schiffrin, *L'édition sans éditeurs. Le contrôle de la parole*, La Fabrique, 2004-2005.

34. José Corti, *Souvenirs désordonnés*, José Corti, 1983.

35. Dossier du *Nouvel observateur*, 17 juin 2004.

36. Majid Rahnema, *Quand la misère chasse la pauvreté*, Fayard / Actes Sud, 2003.

37. *In* Jérôme Duhamel, *La passion des livres*, Albin Michel, 2003.

38. *Radioscopie*, France Inter, 4 avril 1980.

39. Hubert Nyssen, *L'éditeur et son double*, 3 vol., Actes Sud, 1988, 1990, 1997.

40. Tous les livres de Nina Berberova ont été publiés, puis diffusés dans le monde entier, par Actes Sud, à partir de 1985.

41. Film réalisé par Claude Miller en 1992.

42. André Leroi-Gourhan, *Le geste et la parole*, Albin Michel, 1964.

43. François Cheng, *Le dialogue*, Desclée de Brouwer, Presses littéraires et artistiques de Shanghai, 2002.

44. Alberto Manguel, *Une histoire de la lecture*, Actes Sud, 1998.

45. Ce qu'Annie Leclerc devait me confirmer, des années plus tard, par un essai d'une grande lucicité – *L'enfant, le prisonnier*, Actes Sud, "Un endroit où aller", 2003.

46. Hubert Nyssen, *Du texte au livre, les avatars du sens*, Nathan, 1993.

47. Max-Pol Fouchet, *Les appels*, Mercure de France, 1967.

48. Hubert Nyssen, *Les rois borgnes* (prix de l'Académie française), Grasset, 1985.

49. *Dictionnaire des écrivains contemporains de langue française par eux-mêmes*, Mille et une nuits / Fayard, 2004.

50. Jean Giono, *Pour saluer Melville*, Gallimard, 1941.

51. Montaigne, *Essais*, I, XXVI.

52. Alberto Manguel, *La bibliothèque de Robinson*, Leméac, "L'écritoire", 2000.

53. G. K. Chesterton, *Le paradoxe ambulant*, Actes Sud, "Le cabinet de lecture", 2004.

54. Le droit de toréer dans les courses avec les matadors.

55. Robert Musil, *L'homme sans qualités*, Le Seuil, 1957.

56. Jean Guéhenno, *Carnets du vieil écrivain*, Grasset, 1971.

57. Cesare Pavese, *Le métier de vivre*, Gallimard, 1958.

58. 1982, oscar du meilleur film étranger.

TABLE

BABEL

COÉDITION ACTES SUD – LEMÉAC

Ouvrage réalisé
par l'Atelier graphique Actes Sud.
Achevé d'imprimer
en août 2005
par l'imprimerie Liberdúplex
à Barcelone
pour le compte
d'ACTES SUD
Le Méjan
Place Nina-Berberova
13200 Arles.

N° d'éditeur : 5935
Dépôt légal
1re édition : septembre 2005
N° impr.
(Imprimé en U.E.)